LES ENSEIGNEMENTS DE SHANNATON

Éditions

Les Éditions Incalia
4750, Boul. Hamel, Bureau 105
Québec (Québec)
GIP 2J9 Canada
Tél. et téléc. : (418) 871-3201
Site Internet : http://www.incalia.com

Révision

Transaction montage

Maquette intérieure

Génidé Communications

Distribution

Tél. et téléc. : (418) 871-3201
Site Internet : http://www.incalia.com

Dépôt légal

Bibliothèque nationale du Québec
Bibliothèque nationale du Canada
Bibliothèque Nationale de France

3e trimestre 1999

ISBN 2-922167-03-8

2 3 4 5 6 - 97 - 03 02 01 00 99

Imprimé au Canada

LES ENSEIGNEMENTS DE
SHANNATON

YVON MERCIER

Préface

Salutations, je suis Yvon Mercier.

Dans ma tendre enfance, j'ai été attiré par l'inconnu, par l'invisible parce que j'entendais des sons et que je voyais des choses mais, comme beaucoup d'entre vous, on m'a amené à cacher cette réalité de ma vie au point de l'enfouir profondément en moi. Devenu adulte, j'avais presque totalement oublié jusqu'à ce que certains événements me ramènent cette réalité, ma réalité. Pour ma part, cela signifiait le désir de comprendre et d'aller plus loin à l'intérieur de moi. C'est à cette période qu'une voix familière s'est remise à parler, elle me souffle des messages que j'avoue ne pas toujours comprendre, mais j'aime l'entendre et, avec le temps, j'apprends à l'écouter. Qu'on appelle cela être croyant ou autre n'a vraiment pas d'importance, car je pense que nous sommes tous à la recherche de cet être intérieur, de cette partie Divine en nous.

Par inspiration, j'ai écrit un premier livre l'an passé, **Histoires de Vies**. Ensuite, j'ai commencé à écrire un second livre, **L'Éveil du Dormeur**, jusqu'au moment où un être de Lumière **Shannaton**, m'interrompe dans mon processus d'écriture.

J'ai commencé à écrire ce que **Shannaton** me transmettait à la suite d'une demande d'amis qui ont un site ésotérique sur Internet. Ces amis m'avaient offert, PAR HASARD, la possibilité de m'exprimer sur le réseau Internet. Jamais je n'aurais osé écrire des choses personnelles pouvant être *lues par le monde entier, mais si on se doutait de ce que l'avenir nous réserve...* **Shannaton** *est ma* Divinité *intérieure et lui, il attendait que le moment soit venu pour s'exprimer au monde entier.*

Ensuite, *j'ai fait comme pour mon premier livre dont les* 21 *chapitres ont été écrits en* 21 *jours, je me suis installé devant l'ordinateur et je me suis calmé et centré.* Puis, *j'ai posé mes doigts sur le clavier et, à ma grande surprise, les lettres suivantes sont apparues à l'écran :*

Salutations, je suis Shannaton.

Depuis ce temps, **Shannaton** *est présent dans ma vie et j'ai pu mettre enfin un nom propre sur cette voix qui m'enseigne depuis des années, depuis mon enfance. Chaque jour ou presque j'écrivais un nouvel enseignement et je prenais un véritable plaisir à le faire. J'ai donc sélectionné, pour vous, certains des enseignements de* **Shannaton**, *afin de vous le faire connaître car je suis certain que vous aussi vous l'aimerez. J'espère que ces textes vous apporteront du plaisir, de la* **Lumière** *et de l'***Amour**.

Yvon Mercier

Site Internet : http://www.amethyste.com

Avant-propos de l'éditeur

Chacun de nous est la projection terrestre d'un Être de Lumière. Il ne s'agit pas ici de notre guide ou d'anges gardiens qui eux ont un mandat de protection et de guidance pour nous aider à réussir notre vie quotidienne dans le cadre des orientations que nous nous sommes nous-mêmes données avant de venir. Il s'agit bien de cet Être de Lumière dont nous sommes la projection, de cette voix intérieure qui nous enseigne lorsque nous entrons en contact avec notre moi intérieur. Cette voix qui nous amène à entreprendre une évolution spirituelle pour arriver à un niveau vibratoire supérieur à celui de l'être humain ordinaire. Voyez ce qu'en dit **Shannaton**:

Tout être humain, dans sa vie quotidienne, reçoit des informations de cet être intérieur, mais comme il n'y est pas attentif, étant trop pris dans l'expérimentation de sa vie matérielle, il ne comprend pas ces intuitions et laisse ainsi passer des enseignements qui lui seraient utiles et même essentiels pour la réussite de sa vie.

Lorsque nous recherchons ce moi intérieur et que nous le trouvons, nous constatons à quel point ces communications sont simplement présentes en nous. L'être humain recherche trop souvent à l'extérieur de lui-même ces contacts avec les autres dimensions. Or, il a en lui tout ce qu'il faut pour retrouver la connaissance, la science et la conscience de ce qu'il est et des Univers fascinants dont il est un infime maillon.

Yvon Mercier a réussi à entrer en communication plus consciente avec cet être intérieur et à pouvoir en obtenir, pour nous tous, des enseignements qui sont d'un niveau de conscience supérieur. La lecture de **Les enseignements de Shannaton** *nous conduit dans un monde fantastique où nous recevons enfin les réponses à ces questions importantes que se posent les personnes qui réfléchissent sur le vrai sens de leur vie.*

La Terre subit actuellement des changements vibratoires importants que ressentent ses habitants. **Shannaton** *nous explique, entre autres, pourquoi et comment ces changements se font et quel sont leurs effets sur les humains. Si nous sommes venus nous incarner en cette époque de grands changements, c'est pour réaliser une mission spéciale. Notre mémoire humaine ne nous permet pas de nous en rappeler, mais ceux qui ont ce livre en main ont en eux une petite voix qui parle de plus en plus fort et qui vient les déranger dans leur petit quotidien.* **Shannaton** *va nous aider à comprendre que* **nous devons accepter la connaissance que nous acquérons aujourd'hui comme étant un simple pas de plus vers la connaissance de l'infini...**

Jacques Samson
Les Éditions Incalia

Note de l'éditeur

Yvon Mercier a reçu le contenu de ce livre par une série de communications successives et souvent espacées avec **Shannaton**, *chacune portant sur un sujet précis.*

Nous avons voulu conserver le style particulier de ces communications afin que la lecture du texte rappelle constamment au lecteur que ces paroles viennent d'un **Être de Lumière** *qui partage avec nous ses connaissances.*

Le lecteur nous pardonnera donc certaines répétitions, particulièrement au début et à la fin des chapitres.

⊡ ⊡ ⊡

Introduction de Shannaton

Salutations, je suis Shannaton

Je désire dès maintenant vous communiquer des informations qui, je l'espère, sauront vous aider dans votre cheminement intérieur personnel. Il s'agit pour moi de vous communiquer par une série de textes, dont voici le premier, des informations venant de la Lumière*. Ces informations me seront et me sont déjà données par la conscience de la collectivité des* Êtres de Lumière *qui travaillent actuellement sur* Terre*, votre si belle planète* BLEUE.

Chapitre 1

L'individualisation de la personnalité

PREMIÈRE PARTIE

◈ ◈ ◈

Salutations, je suis Shannaton

La prochaine étape amenant la suite de l'entreprise Christique sera vraiment amorcée, lorsqu'un nombre suffisamment important d'individus de la nouvelle souche sera mis en place sur la Terre et qu'ils feront ouvertement la demande du changement à venir. Il en a été décidé ainsi par Le Maître, il y a 2000 ans, et Sa volonté est toujours exaucée. Nous savons tous que cette planète est située dans Son royaume et qu'Il en est le Régent dûment Autorisé par le Gouvernement Suprême. Loin de nous l'idée de douter de ce fait, même si je reconnais que l'humain qui lit ce texte actuellement ne peut pas, dans son intellect, comprendre l'exactitude de cette proclamation. Toutefois, Shannaton écrit pour l'Homme et pour l'Être qui habite l'Homme. Voilà la raison pour laquelle certaines parties de mes textes peuvent vous sembler bizarres. Il est important que vous sachiez que Shannaton est revenu pour travailler avec les Êtres de Lumière qui habitent cette planète en étant pleinement conscient que ces Êtres ne sont pas tous au courant de qui ils sont en réalité. Ainsi, la Loi du Libre Arbitre qui règne dans ce monde (ce monde où se joue une page de l'histoire du grand Univers, et non pas seulement de l'univers local) est respectée.

Il est donc pour moi acquis deux choses : Premièrement, je m'exprime par un homme incarné comme n'importe quel autre homme vivant sur ce monde, et deuxièmement, je m'adresse en tant que Shannaton, Être de la Lumière, en même temps aux Hommes incarnés et aux Êtres de la Lumière qui les habitent (l'Âme). Ainsi a été défini mon travail sur cette sphère céleste, en cette période.

Je disais donc que l'appel devra être fait par des Hommes de la nouvelle souche ou nouvelle race, si vous préférez, et ce, d'un commun et libre accord. C'est-à-dire que plus il y aura de personnes ayant vécu un éveil du Moi-Supérieur, communément appelé **l'éveil du dormeur**, ou un éveil spirituel sur cette Terre, plus il y aura d'humains qui deviendront de type Homme-Nouveau.

L'Homme-Nouveau sera un être personnalisé de type individualiste qui acceptera volontiers de vivre en groupe ou en petite communauté. Je veux dire que dans les temps à venir, la planète évoluera de façon à encourager des communautés multiples, ayant chacune leurs spécialités, plutôt que des nations contenant des supers villes comme c'est le cas actuellement. Cela sera dû au fait que l'Homme-Nouveau aura dans son caractère un côté individualiste très marqué.

Pour être plus précis pour l'intellect humain, voyons les choses comme ceci : L'Homme a évolué lentement jusqu'à aujourd'hui, passant d'une nature sauvage et agressive à une créature sociale et plutôt pacifiste. C'est très bien et cela lui permet de passer à une autre étape qui est celle de la personnalisation de l'individu. Mais, qu'est-ce qu'il veut dire par ces mots, vous demandez-vous ? Prenons un exemple :

Comme vous l'avez sûrement remarqué, de nos jours vous vivez dans de grosses sociétés bien organisées, régies et structurées par un gouvernement local mais vous semblez aller de plus en plus vers un gouvernement mondial. Dès qu'un problème se présente, il devient vite un problème national et tous considèrent que ce qui arrive est la responsabilité du gouvernement. Or, il y a quelques millénaires, il n'y avait pas de gouvernement car c'est votre PROPRE création. L'homme a dans sa nature des traits de caractère qui l'amènent à vouloir faire faire par d'autres ce qu'il pourrait faire par lui-même et c'est NORMAL ! Il fallait que ce soit comme cela pour compléter cette partie de l'évolution de la race. C'est aussi cela qui a fait que l'Homme s'est constamment regroupé en collectivités, puis en villes, en pays, et c'était nécessaire.

Si l'on recule de seulement 2000 ans, nous voici arrivés à une époque où des gens sont si puissants qu'ils ont le droit de vie ou de mort sur des millions d'Hommes. La Terre est peuplée de milliards d'individus qui cherchent à vivre en groupe, lesquels groupes sont devenus d'importantes villes composant même des pays. Sur la Terre, il y a plusieurs races de différentes couleurs et tout est en place pour un appel à l'Amour. Comme tout est prévu par le Gouvernement Céleste, des êtres ont été placés sur Terre depuis des milliers d'années et prêchent déjà l'arrivé d'un sauveur de l'Humanité. L'Humanité qui est de plus en plus consciente qu'elle existe, comprenez-le bien. Il a fallu une longue période pour amener l'Homme à ce point où il devient conscient d'être quelqu'un. Conscient d'avoir une Âme ou un Esprit qui pourrait peut-être continuer ailleurs après la mort de son corps de chair. Mais la vie est rude en ces temps et heureusement des prophètes enseignent qu'un jour viendra où l'Homme aura le droit de prendre sa place, un jour béni où l'Homme saura !

En quelle période sommes-nous au juste ? Voyons au temps du Christ, bien sûr ! À cette époque, des Êtres venaient depuis très longtemps sur la Terre pour communiquer à l'Homme le chemin des jours meilleurs. Depuis longtemps, les gens attendaient et priaient pour la venue d'un nouveau Messie, d'un Homme-Nouveau qui devait tout changer.

Évidemment, comme on ne connaissait que la voie de la force à cette époque, on le supposait puissant et à la tête d'une grande armée de soldats impossible à vaincre. Quoi de plus normal en ces temps où partout on voyait des soldats ?

Comprenez que les prophètes et les prêtres ont formé des millions de fidèles qui priaient sans cesse pour que vienne ce Sauveur. Des millions de personnes... **feront ouvertement la demande** du changement à venir...

Avec tout mon Amour,
Avec toute ma Lumière,
Dans le partage de ce que Je Suis,

Shannaton

Chapitre 2

L'individualisation de la personnalité

DEUXIÈME PARTIE

Salutations, je suis Shannaton

Je voudrais, en cette occasion, continuer de vous parler de l'individualisation de la personnalité. Nous avons auparavant fait une approche historique de votre histoire, ou plutôt de l'histoire de l'humanité. Vous avez ainsi pu mieux comprendre certains faits historiques qui sont en train de se dérouler sous vos yeux. J'ai utilisé l'exemple afin de pouvoir vous faire visualiser ce qui est en train de se passer sur cette planète, pour que vous puissiez mieux saisir ce qui se passera dans les années à venir. De ce fait, il s'avère que nous sommes au tournant de l'ère des Poissons donc que nous nous préparons à débuter l'ère du Verseau, dans les prochaines décennies. La Terre a besoin de vous pour évoluer, elle a toujours eu besoin de créatures-enfants pour son évolution personnelle. Je vous en reparlerai plus tard, pour l'instant c'est de vous que nous parlons.

Vous vivez un fait historique, qui consiste à faire de l'Homme un être social, capable de vivre en fréquence d'harmonie avec d'autres races que la sienne, c'est à dire d'autres peuples humains de couleur différente. Ce fait, qui vous est désormais acquis en potentiel et en capacité dans tout l'univers local, a été noté et interprété comme le signe marquant le début de l'accomplissement par votre race d'une échelle de valeurs personnelles et sociales vous donnant droit à **l'individualisation de la personnalité**, ainsi qu'à tous les avantages qui accompagnent cette étape nouvelle.

Encore et toujours le mot nouveau ! Habituez-vous à ce mot, car l'Homme-Nouveau et sa compagne la Femme-Nouvelle sont les prochains habitants en titre de votre planète. Mais qu'est-ce que c'est un Homme-Nouveau ?

L'Homme-Nouveau est tout simplement un être de type humain, comme vous, qui vit de façon naturelle son individualité plutôt que l'Homme actuel, qui lui, vit sa personnalité.

Parlons d'abord de la personnalité.

Ce que nous appelons une personnalité est l'état de développement d'un être, unique et individuel parmi d'autres êtres plus ou moins identiques à lui. Cela amène une Énergie Créatrice Divine à pouvoir devenir personnelle dans un plan ou une dimension donnée, comme par exemple dans votre 3e dimension.

Voilà pourquoi le Christ disait que se développe la personnalité de l'Homme :

«Par lui, avec lui et en lui.»

Par lui, car c'est par la société que la possibilité de développer une personnalité vous est donnée.

Avec lui, car c'est avec les gens qui composent la société que vous pouvez évoluer dans la vie et apprendre ces importantes leçons qui vous permettent d'avancer, ce qui développe votre personnalité.

En lui, car c'est à l'intérieur d'un groupe d'individus que se développe votre personnalité. Exemple :

Vous comprendrez facilement que vous ne pouvez pas arriver à vivre sur cette planète sous forme humaine sans avoir tout d'abord un corps, votre propre corps. Donc, il vous faut deux parents! Qu'ils s'occupent de vous ou non n'a aucune espèce d'importance et cela n'en aura jamais car leur but premier est de vous fabriquer un corps. Cela explique le **PAR LUI**, maintenant, supposons que vous êtes arrivé dès votre naissance sur une île déserte et que vous êtes le seul survivant d'une expédition. Supposons aussi que comme dans l'histoire, les animaux de cette île se sont occupés de vous nourrir et vous voici devenu un homme, ou une femme, de vingt ans. Vous vivrez toute votre vie seul sur votre île en vous adaptant par des méthodes diverses et en imitant les animaux de l'endroit, en mieux, car vous êtes bien plus qu'un animal et vous le savez. Bon, supposons que votre cousin a aussi vingt ans, mais que lui il ne s'est perdu nulle part et vit toujours avec sa famille dans son village natal. Voyez comment avec un peu d'imagination vous arrivez à comprendre les différences marquantes de vie de ces deux personnes. Voyez comment les deux utiliseront l'entourage pour développer leur **PROPRE PERSONNALITÉ**. Cela explique le **AVEC LUI** de façon assez précise, je crois.

Ensuite, après être devenu quelqu'un, à quoi cela sert-il si on n'a pas une place pour être ce quelqu'un. C'est à dire que l'on ne peut pas vivre avec d'autres gens, plus ou moins comme nous, qui ont eux aussi leur propre personnalité. Bien sûr que cela amènera forcement des conflits de caractères et ensuite de croyances mais aussi combien, ô combien d'instants de bonheur ! La joie de faire un compromis, la joie de ne rien faire quand on sait que l'autre est dans l'erreur mais qu'il vaut mieux le laisser s'en apercevoir par lui-même. Demandez à n'importe quelle mère, elle vous dira combien d'amour cela prend et c'est justement l'**Amour** que vous apprendrez à développer dans la foule d'occasions qui vous seront fournies par la société. Voilà le **EN LUI** !

Je laisse sur vous ma Lumière et mon Amour.

Shannaton

Chapitre 3

L'être humain

PREMIÈRE PARTIE

◈ ◈ ◈

Salutations, je suis Shannaton

Continuons à expliquer l'individualisation de la personnalité. Donc, nous avons parlé de la personnalisation de l'être incarné, maintenant voyons comment l'individualiser et pourquoi il faut le faire.

Ici, il serait bon pour tous d'ouvrir une parenthèse, à savoir qu'est-ce qu'un Être humain au juste ? Si vous le voulez bien, je ferai, pour la présente dissertation, un détour sur la nature ou plutôt un détour en passant par l'explication de la nature de l'Être humain, l'Homme.

L'Homme est en réalité la projection finale d'une Créature Universelle d'Énergie. Cette entité est en fait ce que vous pourriez appeler de l'Énergie Pure Intelligente. Il s'agit en fait d'une forme de Vie existant en abondance dans l'Univers.

Cette entité ou créature est en fait une Énergie Créatrice que vous appelez souvent Énergie Divine. Je ne dis pas que cette créature est la Source de l'Énergie Divine, mais plutôt qu'elle est composée, fabriquée à partir de l'Énergie Divine. La différence est très importante, c'est pourquoi je précise ainsi. Donc, cette Énergie Divine est Créatrice de par sa nature, car elle a besoin de créer et c'est ce qu'elle fait. Le but de son existence est de fournir et de développer des formes de vie intelligentes évolutives à travers l'univers afin de faire évoluer l'univers lui-même. Elle se met donc à l'œuvre inlassablement et pour l'éternité, ou jusqu'à ce que le Régent de l'univers lui demande d'agir autrement, ce qui est très rare, quoique possible dans les temps futurs. Donc, cette Énergie Intelligente est de nature Divine, cela signifie qu'elle est fabriquée, composée à partir d'une énergie inconnue sur Terre qui se nomme **Amour**. C'est l'Énergie et la Matière, si on peut dire, qui composent et qui émanent de celui que l'on pourrait appeler Dieu, ou la Source de toute forme de Vie du Super Univers.

Voilà pour la base, maintenant prenons un exemple vivant :

Supposons que la volonté de l'Énergie Intelligente soit de créer un homme sur la planète Terre. D'abord, nous noterons immédiatement la création d'une autre créature émanant de la première qui se nomme un **ESPRIT**. Voilà la méthode traditionnelle. Ensuite, de l'Esprit nouvellement créé nous verrons apparaître un corps **ATMIQUE** suivi d'un corps

BOUDDHIQUE, d'un corps CAUSAL, d'un corps MENTAL, d'un corps ASTRAL, puis ÉTHÉRIQUE et enfin, voici le corps PHYSIQUE.

Il y a, bien entendu, des procédures à suivre de part et d'autres mais cela n'est pas le sujet qui nous intéresse, passons donc par-dessus. Voici la procédure normale et très résumée pour créer un être humain, un Homme mâle ou femelle bien entendu. C'est après ces procédures que se développe un nouvel être dans le sein de sa mère, car cet être nouveau est en fait la projection finale de tous les êtres qui viennent d'être créés. C'est aussi pourquoi l'être humain est le reflet de lui-même.

Comprenez maintenant que vous êtes en réalité une projection Divine dans la matière et non pas seulement quelqu'un qui est né, va vieillir et mourir. Mais il vous manque un élément clef à propos de la matière, car vous la comprenez mal. La matière est aussi, comme vous, une projection d'une autre forme d'Énergie Intelligente que la vôtre. Chaque iota d'atome est individuel, chaque molécule est personnelle. La matière est en fait un ensemble de molécules vivantes et libres qui acceptent d'être assemblées de façon à former ce que nous voyons et touchons, ou connaissons comme étant matériel. C'est une grande joie de savoir que dans l'Univers, tout, je dis bien tout est vivant. Sachant que chacune de vos molécules est vivante, vous comprendrez que votre corps physique est en fait une association de créatures différentes de vous, mais qui désirent s'associer à vous afin de <u>partager leur Amour</u> pour vous et d'**évoluer avec vous**. Oui ! La matière évolue. Bien sûr que tout ce que la Source a créé **évolue**, c'est impensable qu'il en soit autrement, puisque la Source est constamment en expansion, il faut que tout ce qu'Elle crée soit capable d'expansion et vive cette expansion. Sinon à quoi servirait à la Source de continuer à créer constamment, si elle ne pouvait offrir à ses Créatures des possibilités d'expansion personnelles en apprenant sans cesse des nouvelles choses et en jouant un rôle créateur dans le mouvement d'expansion général.

Voilà pourquoi l'Homme veut aller au ciel, l'Homme veut transcender la matière et retourner au-delà de ses propres corps qu'il remontera un à un, jusqu'à sa propre Lumière, jusqu'à sa propre Source Créatrice, afin de pouvoir se projeter dans d'autres nouvelles expériences créatrices.

Cela suffit pour aujourd'hui, je vous laisse une part de ma Lumière et une part de mon Amour, en paix devant Dieu et devant les Hommes.

Chapitre 4

L'être humain

DEUXIÈME PARTIE

⊡ ⊡ ⊡

Salutations, je suis Shannaton

Dans son développement humain, l'Être de Lumière ainsi incarné, cherchera à développer sa personnalité propre par son expérience d'incarnation. En utilisant la formule «**par lui, avec lui, et en lui**» il développera parmi ses semblables une identité unique à sa personne. Voilà comment on pourrait définir la personnalité, ou la personnalisation d'une entité incarnée, l'Être humain.

Cette étape est importante et non remplaçable car c'est dans celle-ci que le nouvel être se développe réellement. En effet, un humain a besoin des autres humains pour exister puisque l'expérience de l'incarnation se veut une expérience de communication et d'échange. Comprenez que pour être un adulte, il vous faut plusieurs années de croissance, non seulement physique mais, qui incluent un ensemble d'étapes dont certaines sont aussi simples que la formation du corps. Même si vous pensez que cela se fait tout seul, il faut quand même laisser à la nature le temps de le faire, car c'est essentiel pour arriver à devenir un adulte complet. Je veux dire qu'un être humain ne pourrait ni ne saurait être complet si son corps n'a pas fini sa formation physique, alors vous pouvez donc imaginer que toutes les autres formations sont aussi importantes, quoique moins évidentes. Je dis souvent que plusieurs humains ont sauté des étapes dans leur formation et c'est important pour vous d'apprendre à analyser qui vous êtes, pourquoi vous êtes de tel type et comment vous vous sentez dans ce que vous êtes.

Cette analyse est une façon simple pour vous de savoir si vous avez sauté une ou plusieurs étapes. L'Homme-Nouveau devra se faire un devoir de savoir qu'il est affranchi des étapes de développement d'un humain, sinon, il sera toujours bloqué quelque part dans son travail d'intégration de la Lumière. Il faut comprendre que l'Homme-Nouveau revient vivre sur la Terre pour assister la race humaine. Je dis bien revient, car cette forme d'Énergie Créatrice qui habite l'Homme-Nouveau connaît déjà cette planète pour y avoir vécu et appris ce qu'il lui fallait apprendre afin de continuer son évolution personnelle. Vous devinez donc que ce sont tous des vétérans de cette planète qui sont revenus LIBREMENT et par amour pour vous, humains, et par amour pour la planète. Je crois que la grande majorité de ces Hommes-Nouveaux ont été invités personnellement, par une personnalisation du Régent de notre univers local, à revenir sur cette sphère afin de collaborer par leur expérience personnelle à imprégner la race humaine d'une nouvelle vibration d'Amour et de Lumière vibrant à des taux supérieurs à tout ce qu'elle a déjà connu pendant le présent cycle évolutif de la race présente.

La Terre est un incubateur d'âmes, voilà une grande vérité à savoir pour l'Homme qui l'habite. La Terre est communément appelée dans l'univers local une planète mère, on la nomme par exemple Terre-Mère. Cette planète est une sphère intelligente qui est capable de vous aider à évoluer personnellement et individuellement. Cela semble banal, mais sachez que peu de planètes offrent à ses habitants de pouvoir travailler sur deux plans d'évolution dans un même temps d'incarnation. C'est une particularité de votre belle et merveilleuse sphère d'enseignement que vous nommez Terre. Moi, Shannaton devant tous, j'affirme que j'admire cette planète, que je l'aime de tout mon être et avec une grande dévotion, que c'est une grande joie et un honneur pour moi de participer personnellement, et à ma façon, à l'évolution de ce monde et de ses habitants en cette période grandiose.

Sachant ces choses, vous comprendrez que le développement de la personnalité est une étape nécessaire pour une Énergie Intelligente Créatrice personnelle et aussi pour un humain incarné en pleine croissance car toutes les entités de ce type sont à la base **UNIFIÉES**. C'est normal, puisqu'elles sont de provenances Divines et non pas produites. Ici, il faut savoir qu'il y a majoritairement deux types de créatures dans le grand Univers, les créatures Divines qui sont créées directement de la Source ou de ses créations directes et les créatures infinies, qui sont créées par des entités créatrices en développement personnel, comme l'humain. Étant unifiées, elles ne sont pas personnalisées et c'est une bonne raison de s'être incarnées, n'est-ce pas ?

Ouvrons une autre parenthèse : Les créatures Divines sont produites à partir du centre du Super Univers et leur fonction principale est de s'extérioriser du centre vers les confins de l'Univers. C'est en voyageant d'un monde à l'autre qu'elles participent à l'évolution de l'autre type de créatures. Elles parcourent l'Univers pour apprendre et partager leurs connaissances avec les créatures qu'elles rencontrent dans leur vie qui est de durée **illimitée**.

Quant aux créatures infinies, elles ont été créées par le premier type de créatures et leur vie se fait en partant du point où elles ont commencé à vivre et en revenant vers le centre de l'Univers. L'une apprend par l'expérience de l'autre et vice versa. Ainsi, l'Univers, qui est en expansion, continue de produire de nouveaux êtres qui partent de son centre vers l'infini en même temps qu'il continue de recevoir des êtres qui arrivent de l'infini avec une connaissance immense de vie acquise par toutes leurs expériences personnelles et individuelles.

Car ces créatures infinies deviennent de plus en plus finies, donc parfaites et peuvent partager avec la Source chacune de leurs connaissances. Pendant ce moment, elles deviennent unies à la Source et deviennent conscientes de l'ensemble des connaissances de l'Univers.

Voilà en gros comment cela fonctionne. C'est pourquoi l'Homme a besoin de l'Homme pour apprendre et évoluer. C'est aussi pourquoi ce même Homme doit un jour arriver à s'individualiser pour pouvoir prendre conscience de sa propre expérience de Vie et décider de commencer à remonter son univers local, c'est-à-dire celui où il est né, jusqu'à l'Univers Central et jusqu'au Paradis, le Centre de toutes choses, afin de vivre sa propre fusion avec la Source. Je comprends que cela est très résumé, mais c'est pour nous, en ce moment, une première approche dont je reparlerai en détail plus tard.

Il me suffit pour le moment de vous laisser seul avec vous-même, seul avec votre Être de Lumière, seul dans la sécurité d'un univers grandiose qui vous appartient car, en dedans de votre chair vous êtes, tout comme nous, **AMOUR**.

Chapitre 5

La terre-mère

⊡ ⊡ ⊡

Salutations, je suis Shannaton

Je voudrais vous entretenir cette fois de votre planète, la Terre-Mère. La Terre est une planète de conception dix, ou dixième planète conçue dans un Univers local dans le but de porter la vie. Porter la vie signifie que cette planète a une personnalité école qui fait d'elle un endroit où la vie peut et va se développer sous différentes formes matérielles, plus ou moins denses, et se développer en s'éthérisant de plus en plus, à l'intérieur d'une série de cycles qui amèneront la planète elle-même à l'apogée de son développement personnel.

Il vous faut savoir aussi qu'à chaque planète de ce type, il est permis de créer une planète expérientielle. Une planète dix ou expérientielle est donc un nouvel endroit où les créateurs de vie de l'Univers local pourront créer des nouvelles formes de vies ou des vies de nouveaux types. Je dis cela sans prétention aucune et j'espère que ceux qui me liront sauront discerner la vérité de ces affirmations. Le temps est venu pour ceux de votre race de savoir que l'Univers est régi par un Gouvernement

Céleste qui s'occupe de gérer tout ce qui existe et ce qui existera, et ce, dans de multiples dimensions. Il ne me plaît pas de penser que l'Homme de la Terre n'est pas prêt à croire qu'il existe d'autres formes de vies que la sienne et je n'aime pas non plus qu'on me dise que l'Homme pense être la plus grande des créations Divines de l'Univers. Je sais que l'Homme a dépassé l'étape de cette étroitesse d'esprit qui, emprisonné dans la chair, se refuse à croire qu'il ne peut exister rien d'autres que sa chair elle-même.

Moi, Shannaton, n'ai rien de plus que toute autre entité de mon espèce et mes intentions sont bonnes et claires. Je me permets de parler à l'Homme, l'Être Humain, sans égard de son sexe ni de sa situation sociale, en considérant que nous sommes tous égaux, car l'heure est venue pour l'Homme de la Terre de rejoindre et d'avoir accès à ses frères de l'espace. Oui, peuple de la Terre, l'Univers est votre domaine et ce domaine n'attend que vous pour continuer son évolution car ce domaine a besoin de vous pour continuer, puisque vous aussi êtes des Esprits Créateurs actuellement incarnés dans la chair afin de vivre les expériences que vous amènerez à vos propres créatures du futur. Vous êtes des enfants bénis de Dieu ou de la Source et vous avez le droit de savoir que l'Univers est peuplé de milliards de formes de vie dont l'Homme fait partie. L'Homme n'est pas l'exception de l'Univers, cela ne pouvait être dit tant que l'Homme n'était pas prêt à le comprendre et ce temps arrive à grands pas.

J'ai été formé parmi vous dans un but de communication et je peux commencer à peine à voir tout ce que je sais, moi Shannaton. Cela veut dire que le temps approche où tous les Hommes de la Terre pourront faire de même et où chacun pourra savoir qui il est en réalité. Pourquoi ?

Parce que la Terre-Mère est arrivée à une nouvelle étape de sa croissance personnelle. Je dis personnelle comme dans personnalité. Oui! La Terre est prête à transposer son niveau vibratoire à une autre fréquence plus élevée. Je m'explique : Au début des temps, il fallait une énergie énorme pour créer un Univers local. Un Univers local est en fait une partie de l'Univers qui grandit sans cesse. Donc pour créer un Univers local nouveau, il fallait comprimer une partie immense de ce qui est appelé le vide de l'espace, afin de fournir la matière nécessaire. En fait, l'espace n'est pas vide, car dans la création, rien n'est ni vide, ni inutile. L'espace est simplement spacieux, ce qui veut dire que le nombre de molécules matérialisées dans un mètre cube d'espace est très minime. Aussi minime soit-il, il existe des molécules de matière partout dans l'espace et dès le moment où l'on a su où construire un nouvel Univers local, il s'agissait alors de comprimer une quantité indescriptible d'espace afin d'en extirper la matière nécessaire qui servira de matériaux pour les nouvelles planètes. Certaines Créatures Divines sont spécialisées dans ce travail et c'est avec une grande joie qu'elles se mettent à l'œuvre pour créer un nouveau système chaque fois que la demande se fait sentir. Comme tout évolue, ces êtres ont aussi évolué et ont mis au point d'autres méthodes de créations de systèmes ou d'Univers locaux. Ce n'est pas vraiment dans le but de gagner du temps qu'ils travaillent sans cesse à améliorer leurs méthodes, mais plutôt parce qu'ils sont de Nature Divine, donc constamment évoluantes et que plus vite ils créent des mondes ou planètes nouvelles, plus vite les créatures de Dieu peuvent les habiter et expérimenter de nouvelles formes de vie.

Dans ce sens, il s'avère que votre bonne Terre-Mère est une planète expérimentale qui travaille elle-même sur le processus de perfectionnement de la création. Elle a participé à la mise au point d'une nouvelle méthode voulant que certaines planètes puissent se dédoubler en créant ainsi un double d'elle-même qui est déjà prêt à être habité. C'est cet événement qui arrive à grand pas, la Terre mettra bientôt au monde sa première conception et il a été prévu qu'une partie de ses habitants actuels seront transportés sur ce nouveau monde. Voilà pourquoi vous entendez parler de transportations et de téléportations. Je sais que cela peut vous sembler difficile à croire, mais si vous relisez certains passages de la bible, comme l'Apocalypse, avec cette nouvelle connaissance ou d'autres écrits comme les livres ésotériques, vous arriverez sûrement à la conclusion que cela est plein de bon sens.

Plusieurs vaisseaux immenses sont déjà arrivés dans votre Univers local et bien des personnes sur Terre le savent. N'ayez pas peur de nous qui sommes des êtres de paix, car en fait, et vous le lirez de plus en plus souvent, plusieurs d'entre nous sommes vos Moi-Supérieurs. Oui, votre double qui a été formé et préparé dans le but de vivre des retrouvailles. En fait nous sommes préparés à nous fusionner avec vous, enfin avec ceux d'entre vous qui le voudrez, car nous respecterons toujours votre libre arbitre et votre volonté. Actuellement, nous travaillons tous à établir une communication télépathique avec vous. Rappelez-vous ce que la Bible disait à propos de chacun et chacune d'entre vous qui recevrez un nouveau nom lorsque Jésus reviendra sur Terre.

Eh bien ! Nous sommes votre nouveau nom, vos Moi-Supérieurs ou encore vos corps subtils personnalisés à un autre niveau vibratoire, qui reviennent vers vous.

Le temps est venu pour nous tous de commencer vraiment à partager notre Amour les uns pour les autres, comme la Terre-Mère partagera ce qu'elle est avec un nouvel Univers local en créant une nouvelle planète, par le seul moyen de sa force d'Amour et de sa volonté. Que La volonté Divine soit accomplie sur cette Terre, comme sur tous les autres mondes célestes.

Chapitre 6

La pensée positive

⊡ ⊡ ⊡

Salutations, je suis Shannaton

J'aimerais vous parler, cette fois, de la pensée positive. En premier lieu, il serait bon de se questionner sur le sujet.

- Qu'est-ce que c'est la pensée positive ?
- Pour l'Homme de la Terre et pour l'Être de Lumière qui l'habite, est-ce la même chose ?

La pensée positive est un phénomène de direction de l'énergie qui émane d'une source personnalisée ou individualisée, et qui crée un enchevêtrement de diverses énergies compatibles, en un certain sens, avec sa propre fréquence vibratoire ordonnée. Rien que cela, me direz-vous. Oui ! Rien de moins que cela. Je m'explique : vous savez déjà que ce que nous appelons une source d'énergie individualisée ou personnalisée est, ni plus ni moins, qu'une entité. Cette entité est incarnée ou non selon son niveau d'expérimentation personnelle, ce que vous appelez souvent son niveau d'évolution. Donc, cette entité va choisir de manipuler certaines énergies afin de créer ou de provoquer une réaction qui a, pour elle, un intérêt expérientiel.

Un exemple :

Supposons que vous vouliez faire un voyage dans les pays chauds pour vos vacances. Il est facile de concevoir qu'une fois cette idée retenue, vous déciderez de ce qui suivra, c'est-à-dire de la période et de l'endroit où vous irez, avec qui, etc. Cela vous amène à planifier certaines choses et certains événements qui sont dans un avenir plus ou moins proche, du moment où vous avez décidé de prendre vos vacances jusqu'au moment de les prendre. Voilà un exemple de pensée positive puisque cette idée générera chez vous plusieurs scénarios ou actions vous amenant d'une idée à un but.

Maintenant, supposons qu'il s'agisse d'une entité non incarnée, le processus sera le même. La seule différence se situe au point de vue verbal, oui ! Je parle **des mots**, puisque vous êtes énergie et non pas chair. Vous êtes une énergie qui VIT une expérience dans la chair et vous pensez comme une énergie, même si vous n'avez pas conscience de qui vous êtes actuellement. L'énergie habite la personnalité de l'Homme et l'Homme ne fait RIEN, rien du tout, sans l'énergie. C'est normal si on sait que l'Homme est énergie. Ce que vous appelez votre cerveau n'est pas qu'un simple ordinateur qui analyse vos impulsions électriques, c'est beaucoup plus que cela. En fait, c'est un puissant récepteur-émetteur !

Je dis bien récepteur-émetteur et non pas l'inverse. Il faut bien saisir le sens de cette phrase. Le cerveau de l'Homme reçoit une quantité incroyable d'informations venant de plusieurs endroits à la fois et souvent de façon simultanée. Votre cerveau peut se brancher sur la fréquence de vos différents corps subtils, comme sur ceux d'autres êtres qui n'ont pas à être comme vous, je veux dire qui ne sont pas nécessairement humains. Voilà l'explication des voyants ou médiums !

Le cerveau peut aussi recevoir les pensées émises par d'autres cerveaux et encore une fois, pas nécessairement d'autres cerveaux humains. Vous découvrirez bientôt des contacts télépathiques fascinants avec des mammifères tels les dauphins et les baleines. Le cerveau peut aussi recevoir des images directement de l'espace infini, des images provenant d'autres mondes ou du Gouvernement Céleste. Cette forme de communication est d'ailleurs très répandue dans l'Univers.

Comme j'essaie de vous le montrer par ces exemples, le cerveau est beaucoup plus souvent en train de recevoir que de décider ou d'émettre et c'est ici qu'intervient la pensée positive, puisqu'elle oriente non seulement le cerveau, mais tout l'être entier vers une direction précise. Pendant que notre ami de tout à l'heure était occupé à planifier son voyage, **il allait dans une direction bien précise** et c'est ça qui est intéressant à comprendre. Peu importe que la direction soit un voyage dans le sud ou un voyage dans le temps, ou encore un voyage d'une vie pour vivre une expérience évolutive. La direction, étant prise dès la pensée, est suivie par l'Être ou par l'énergie de l'Être et c'est ça qui compte. La pensée positive est donc un moyen utilisé par l'énergie pour se créer différents scénarios qui l'amènent à aller plus loin dans son expérimentation.

Si vous acceptez de croire en vous, si vous acceptez de croire que vous êtes des Êtres d'Énergies d'Amour qui, étant incarnés sur cette planète, vivent des scénarios qui les amènent à se perfectionner dans leurs expériences de Vies. Si vous croyez cela, alors vous êtes vraiment des gens heureux. Heureux, puisque avec le temps qui passe, vous devenez à même de vous comprendre de plus en plus et de mieux en mieux. Celui qui sait qu'il expérimente sa propre Vie sur Terre, celui-là est déjà détaché de la réalité étouffante du quotidien, celui-là sait que tout ce qui semble si pénible peut être changé par sa simple volonté et qu'il n'a qu'à apprendre à créer sa destinée au fur et à mesure qu'il en devient le maître. C'est-à-dire au fur et à mesure qu'il en devient capable. Pour en être capable, il suffit de regarder les choses et les événements en face et non pas de les fuir par la peur. Il suffit de s'éveiller un matin et de trouver que la vie est belle, coûte que coûte, et que ce sera toujours ainsi. Il ne reste plus qu'à décréter qu'il en sera toujours ainsi. L'Homme crée et il n'y a que l'Homme qui en doute. Pourquoi ?

Parce que c'est d'abord par l'épreuve de sa propre foi en lui que l'Homme a choisi de grandir. C'est par sa propre foi qu'il trouvera la Lumière, cette Lumière qui est présente partout et pourtant qui semble si irréelle à l'Homme incarné. Appelez cela la tache originelle si vous le voulez, nous, nous appelons cela la grande Initiation Humaine. Certains d'entre vous connaissent différentes initiations, mais connaissaient-ils celle qui fait qu'ils sont ici, en ce moment même ?

L'heure est venue de dire à l'Homme qui il est, de lui apprendre à observer ce qu'il fait et pourquoi il le fait. Nous avons demandé la permission de communiquer ces informations afin de vous amener vous-mêmes à les vérifier et à les croire quand vous aurez décidé qu'elles sont réelles. Tout ceci dans le but d'élargir vos limites et vos horizons par le savoir et la connaissance. Ces mots font vibrer bien des cœurs et comme tout le reste, il faut apprendre à s'en servir. Le savoir est intéressant et grisant, mais il ne faut pas se perdre dans son propre savoir, puisqu'il peut être infini. Il faut utiliser ses connaissances pour avancer, avancer dans l'escalier de l'évolution, avancer dans l'infini en le rendant de plus en plus fini, afin de reculer sans cesse les frontières de ce même infini. Un jour, vous réaliserez que c'est un peu par cela que l'Univers grandit.

Pour le moment, je vous laisse un peu de ma Paix, de mon Amour et de mon Admiration pour ce que vous **VIVEZ**.

Chapitre 7

La Divinité intérieure de l'Homme

⊡ ⊡ ⊡

Salutations, je suis Shannaton

J'aimerais vous entretenir de la Divinité intérieure de l'Homme. La Divinité intérieure de l'Homme n'est autre chose que sa propre Divinité, sa propre Source, sa propre Essence ou encore, sa propre Énergie. On vous a dit que Dieu a créé l'Homme à son image et cette phrase est on ne peut plus vraie. En fait, c'est aussi une preuve additionnelle pour celui ou celle qui cherche sa vraie nature à l'intérieur de lui-même. Je dis preuve mais le mot " clef " serait bien plus approprié car c'est là un indice intelligent qui vous a été donné par le Christ, il y a 2000 ans.

Ce que nous appelons, vous et moi, un être humain est en fait un être composé de différents éléments et qui vit simultanément sur plusieurs plans. Cet être est donc une sorte de résumé ou, pour certains, une sorte d'expérience car c'est en fait une projection faite à partir d'un autre plan si subtil que vos sens ne pourraient jamais l'approcher. L'Homme incarné que l'on appelle un être humain est en fait, pour nous, un reflet tridimensionnel matériel (une projection) d'une Énergie Intelligente Créatrice (Énergie Divine). Voilà pourquoi le Christ vous a dit que Dieu a créé l'Homme semblable à son image.

Essayons d'expliquer le principe utilisé actuellement :

Il nous faut, pour l'exemple, disposer d'une Énergie Intelligente Créatrice que nous appellerons Amour. Donc Amour veut vivre une expérimentation "Terre" afin de développer en elle la connaissance générale de l'Homme incarné (émotions, personnalité, individualité). Voici qu'Amour s'adresse au Gouvernement Céleste responsable de cette partie de l'univers local pour faire sa demande. La demande est approuvée et autorisée et une période est déterminée pour qu'Amour s'introduise dans le système. Ensuite, je passe une série de procédures pour arriver au principal qui est qu'Amour, une fois formée et préparée, peut, avec l'aide d'autres entités, se projeter sur la Terre. C'est-à-dire qu'Amour, qui est une énergie pure, doit se colorer en se fabriquant un corps moins subtil afin de descendre vivre dans la matière. Dans un temps, elle se fabrique un corps spirituel faisant d'elle un Esprit. À partir de ce nouveau corps et de ce nouveau taux vibratoire inférieur à ce qu'elle était, Amour peut commencer à fabriquer un autre corps de moins en moins subtil comme le corps atmique, à partir duquel elle fabriquera le corps bouddhique puis le causal, ensuite le mental, l'astral, l'éthérique et enfin son corps physique.

Comme chacun de ses corps est fabriqué à partir du même corps central, si l'on peut s'exprimer ainsi, les ressemblances seront constantes de l'un à l'autre. C'est pour cela qu'on dit que Dieu créa l'Homme semblable à son image. Cela se fait un peu, comme pour une photographie, l'Énergie Intelligente Créatrice se crée une image de ce à quoi elle veut ressembler et corps après corps, elle en prend la forme. C'est ça votre Dieu intérieur, c'est aussi ce que vous nommez souvent votre Moi-Supérieur. C'est aussi pour ça que vous êtes tous Christ, ou même, tous Dieu. N'oubliez pas que l'Énergie Intelligente Créatrice est Divine. En fait, elle est ce que le cerveau humain peut comprendre de plus loin dans la Divinité Universelle comme étant le représentant de Dieu. Cette Énergie est unie à Dieu en tout temps sans intermédiaire et cette Énergie crée, puisqu'elle est conçue par Dieu à un autre niveau dans le but de créer pour faire grandir l'Univers et Dieu lui-même. Sachez qu'elles rapportent scrupuleusement toutes leurs expériences de vies dans le grand Univers à Dieu et c'est cela qui leur est demandé, c'est leur raison d'exister. Sachez aussi qu'elles ont besoin de vous pour s'exprimer à l'intérieur de cet espace-temps qu'on appelle ici (oui, ici sur Terre, en ce moment).

Ne vous sentez donc pas si petits, mais plutôt si grands, puisque vous faites partie de l'expérience de personnalisation individualisée de Dieu lui-même, en étant juste ici dans votre corps et avec votre Esprit. Voilà une grande vérité, simplifiée bien sûr mais une grande vérité quand même. Je suis heureux de vous la faire partager et c'est pour moi une joie de penser que certains parmi vous se regarderont dans une glace, dans les mois à venir et prendrons lentement conscience de qui ils sont, en réalité, sous cette couche de matière que l'on nomme la peau.

L'Homme se voit avec des petits yeux de chair et il se trouve bien petit. Si l'Homme se voyait avec les yeux de son âme, il se trouverait trop grand pour son corps. Il faut que l'Homme apprenne à se regarder avec un peu de sa chair et un peu de son âme, c'est alors seulement qu'il pourra voir toute la beauté et toute la grandeur d'un Homme (ou d'une Femme, bien sûr!).

Voilà mon souhait de ce jour, que la vie fasse en sorte que vos yeux soient parfaits et qu'à ce moment, une glace soit devant vous.

Shannaton

Chapitre 8

L'Ascension

PREMIÈRE PARTIE

⊡ ⊡ ⊡

Salutations, je suis Shannaton

Je désire vous parler d'un sujet dont on parle beaucoup ces temps-ci, l'Ascension. Tout d'abord, il serait bon pour la compréhension de tous, de définir ce que l'on entend généralement par le mot Ascension.

L'Ascension est le terme utilisé pour désigner l'état ou le mouvement d'un Être incarné qui réussit à s'unir avec son propre Être Supérieur, ou Esprit Créateur. Cela se fait par la volonté définitive d'un être incarné d'être complètement assimilé par son Moi-Supérieur, ou Esprit Créateur, ou Être de Lumière ou encore Soi-Divin. L'Ascension est en réalité une étape de l'évolution de l'Être ou de l'Esprit qui, incarné dans la chair, a réussi à retrouver ses Mémoires Divines de provenance spirituelle, de même qu'à transcender le côté Humain-Animal de sa nouvelle Personnalité en acceptant définitivement de se soumettre à Sa Volonté Divine dans toute cette nouvelle Personnalité. Cette personnalité qu'il est en train de développer pendant la présente incarnation, cette personnalité qui suit et complète l'expérience de l'Esprit qui s'est projeté dans la matière dans le but de la spiritualiser en accomplissant ainsi sa propre expérience spirituelle.

Pourquoi ?

Vous vous demandez souvent pourquoi et cela est tout à fait normal, et je vous respecte de plus en plus pour cette si intelligente question. Permettez-moi d'essayer de vous expliquez, en inventant ce qui pourrait être une histoire.

Imaginons que la Source de toutes Vies ait créé un Univers Infini et que dans cet Univers il vous ait créé, vous, sous la forme d'une Énergie Divine Créatrice. Bon, supposons que vous disposiez d'une si grande partie de l'Univers pour vous tout seul que vous ayez toujours eu l'impression de ne pas avoir de voisin, ou plutôt, d'être seul. On pourrait représenter ceci par ce dessin :

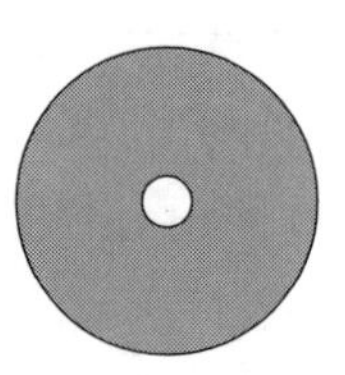

Disons que le cercle extérieur est l'Univers et que le cercle intérieur, c'est vous. Comprenez que vous pouvez vous déplacer en tout point à l'intérieur du grand cercle car il s'agit de votre demeure. Étant une Énergie Divine Créatrice, vous évoluerez à l'intérieur de votre Univers découvrant ses mondes, ses Êtres et toutes les sortes de créatures, jusqu'à ce que vous ayez pris conscience que vous commencez à connaître les limites de votre Univers. Autrement dit, vous évoluez du centre vers l'extérieur pendant que vous **ÉVOLUEZ**, parce que tout votre Univers devient une partie de vous pendant que vous grandissez à l'intérieur de vous-même. Comparons cela à un jaune d'œuf qui grandit dans l'œuf jusqu'à en avoir consommé tout l'espace et c'est à ce moment que l'œuf se brise pour laisser le poussin en sortir et continuer sa vie. Alors, vous découvrez que l'Univers dans lequel vous vivez n'est pas le seul à exister, regardez maintenant cet autre dessin.

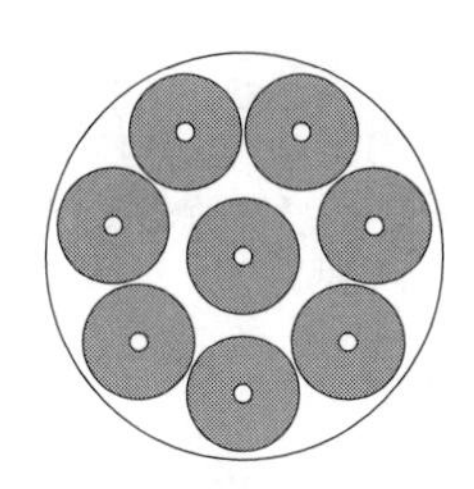

Voyez-vous ? En réalité, l'Univers est rempli de petits Univers comme le vôtre qui se frôlent sans jamais se toucher et c'est seulement en assumant pleinement votre propre Univers qu'il vous devient possible de ressentir ses contours, ou ses limites. Aussitôt que l'on connaît les contours, ou les limites de quelque chose, on commence déjà à percevoir ce qui vient après, donc à percevoir les autres Univers qui vous entourent. C'est le même phénomène qui se produit quand un enfant humain atteint un certain âge où il comprend que tout son

Univers n'était en réalité qu'une maison, sa maison, et que tout autour d'elle il y a plusieurs autres maisons dans lesquelles vivent des enfants comme lui. On peut nommer cela l'étape de la **RECONNAISSANCE DU SOI**. Cette étape vous amènera à une sérieuse prise de conscience, car toute Énergie Divine Créatrice que vous soyez, vous n'avez aucune idée de la façon de cohabiter avec des voisins qui ne sont peut-être même pas sociaux, tout compte fait. Vient avec cette période celle de l'appel à l'Aide Divine où naturellement vous demandez de l'aide devant tant de questions. Pourquoi ?

Parce que vous avez compris qu'il ne peut y avoir que deux scénarios possibles :

- Vous grandissez dans le territoire d'un autre et tant pis pour lui, car peut-être que cela le détruira.

- Un autre grandi dans votre territoire et tant pis pour vous, car cela peut vous détruire.

Voici le dessin du premier cas :

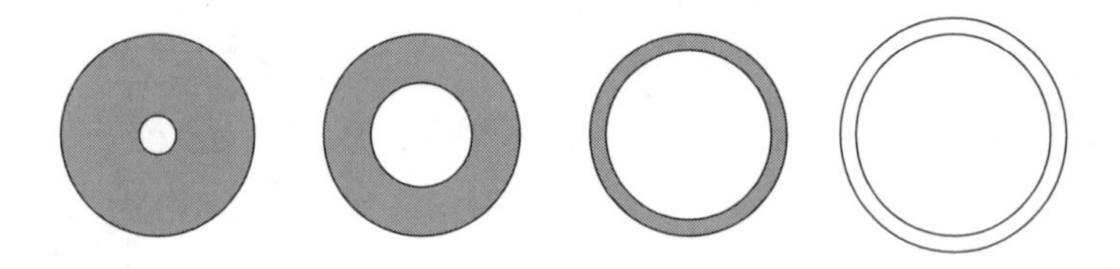

Vous comprenez que la cellule centrale grossit en dedans de l'espace gris qui constitue son univers et qu'elle vient à être plus grande que celui-ci. Ce qui fait qu'elle pénètre dans les Univers des autres Énergies Divines Créatrices et c'est cela qui engendre ou peut engendrer un problème nouveau, la cohabitation avec d'autres Créatures. Pour arriver à comprendre vraiment l'Ascension, je suggère d'abord de comprendre comment une Énergie Divine Créatrice réagit à ce problème de cohabitation dont nous reparlerons un autre jour.

Je laisse planer sur vous, ma Lumière et mon Amour, en vous couvrant de la Paix de Dieu.

Shannaton

Chapitre 9

L'Ascension

DEUXIÈME PARTIE

◈ ◈ ◈

Salutations, je suis Shannaton

Continuons! Donc quand l'Énergie Divine Créatrice est devenue consciente du fait qu'il existe tout autour d'elle d'autres Énergies Divines Créatrices et qu'elle ne sait pas comment réagir par elle-même, nous avons dit qu'elle faisait appel à l'Aide Divine. L'aide Divine est fournie à toute création de Dieu qui en fait la demande, peu importe de quelle nature elle puisse être et cette Aide est instantanée. Dans le cas qui nous intéresse, l'Énergie Divine Créatrice recevra le support d'une Créature Céleste qui connaît bien ce problème, comme toujours d'ailleurs, et qui lui suggérera de se CRÉER un ESPRIT. C'est-à-dire, une partie d'elle-même qui sera «personnalisable» afin de pouvoir vivre par cette partie d'elle, l'expérimentation de divers scénarios, ayant tous rapport avec sa présente situation. Si vous me suivez bien, je vous dis que notre Énergie Divine Créatrice peut et va créer un double d'elle-même ayant une forme définie par l'aide Céleste, afin de vivre par cette forme d'elle-même des expériences de cohabitation. Simple, non ? Il s'agissait d'y penser, puisque nous sommes des Créateurs, alors pourquoi ne pas créer ?

C'est cette nouvelle représentation de l'Énergie Divine Créatrice que nous appellerons son Esprit qui sera transporté dans des mondes écoles afin de vivre les expériences susmentionnées. Tout cela se fait en collaboration avec d'autres Créatures Célestes qui sont créées justement pour ce travail et l'Esprit a droit à une période de formation intensive qui l'amène, par exemple, à se projeter sur une planète comme la Terre. Avec l'aide de maîtres d'incarnations, l'Esprit apprendra au fil de ses vies Terrestres à vivre et à cohabiter avec d'autres Esprits qui, comme lui, se sont incarnés dans le même but. Ce qui est bien fait dans cette méthode, c'est qu'il y a des mondes où l'on peut faire des vies faciles, où tout est mis en communauté et paisiblement partagé, mais ce n'est pas le cas en ce qui concerne votre planète. La Terre est une planète où l'on développe en même temps son individualité et son libre arbitre, c'est cela qui en fait une planète si intéressante, car dans un minimum d'incarnations, il est possible d'arriver à vivre beaucoup plus d'expériences que dans un monde communautaire à cause de la dualité que cela comporte. Vous pouvez être bon ou mauvais selon votre propre choix. Regardons pourquoi.

L'être humain est comme ce graphique :

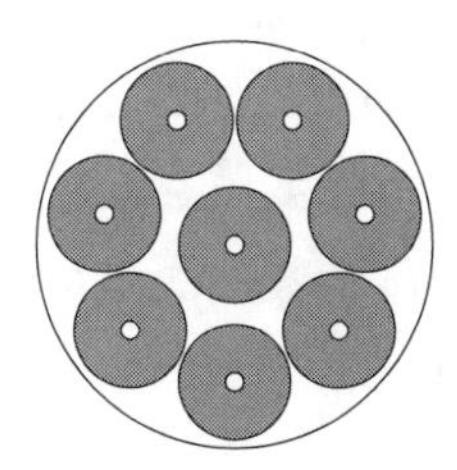

C'est-à-dire que sa personnalité se développe dans un corps qui se développe à son tour au travers d'autres corps pendant qu'ils se développent, eux aussi. Encore l'expression «par lui, avec lui et en lui». Si l'on s'arrête à un seul humain on aura ceci :

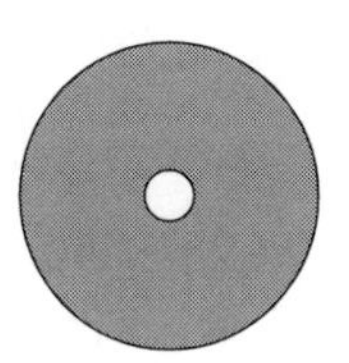

Voici l'explication de ce graphique : le cercle du centre représente votre personnalité qui va se développer vers le cercle extérieur. Comme l'enfant humain qui naît ne sait rien du tout à sa naissance, puisqu'il est né ici pour développer son individualité, pour cela il doit d'abord :

- Grandir physiquement. À ce sujet n'a-t-il pas été à un moment de sa vie une petite cellule qui grandissait dans une autre cellule en se divisant jusqu'à ce qu'il n'y ait plus assez de place pour lui ?

- Grandir du point de vue de sa personnalité. Qui se développe et s'affermit au fil des années qui passent. Ne va-t-il pas commencer sa vie dans une dépendance totale et arriver à prendre sa place dans la société formée par les autres humains ?

- Grandir spirituellement ou dans ses corps subtils. N'oublions pas que c'est un Être Divin qui vit dans le corps humain afin d'apprendre par lui, avec lui et en lui. Le but de cet Être Divin étant d'apprendre, dans notre histoire, il doit apprendre la cohabitation avec d'autres Êtres.

Habituellement la personnalité de l'humain se développe en sept tranches toutes plus grandes les unes que les autres et ces tranches équivalent à chacun des sept corps subtils qui se développent eux aussi, l'un après l'autre. Vu sous forme graphique cela ressemblerait à une cible, par exemple :

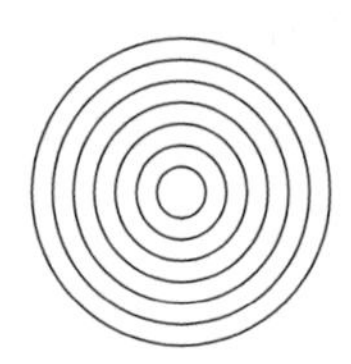

Comprenez que l'Esprit se développe pendant que la personnalité s'affirme **et** que les corps subtils se forment. Tout cela fait que l'humain se développe, s'affirme et finalement vieillit. Il ne devrait pas vieillir mais, comme il ne sait pas utiliser l'Énergie Divine qui est sa Source, sa Vie, son Centre, il ne peut empêcher le processus de vieillissement de la matière composant son propre corps. En fait, l'humain devrait se développer, devenir mature dans sa personnalité et affirmer son individualité, pour enfin utiliser ce qu'il est devenu et pouvoir se transposer sur d'autres plans dimensionnels afin de continuer son évolution personnelle. Voilà la raison d'être de l'Ascension, voilà pourquoi il lui faut arriver à accepter qui il est dans toutes ses parties, après les avoir de nouveau développées dans sa présente incarnation. Voilà aussi le but de millions d'êtres incarnés et la façon de rompre la série d'incarnations, ou de karmas, pour aller vers d'autres cieux comme on dit.

Facile à dire! Me direz-vous avec un sourire en coin. Je ne dis pas cela, je suis Shannaton. Je vous aime avec sincérité et avec beaucoup de respect. Je travaille pour vous expliquer des choses telles qu'elles sont, et non à essayer de vous montrez mon savoir. Un autre jour, vous verrez que ce n'est pas si facile et que j'en suis bien conscient. Il me reste encore deux parties sur ce sujet, en attendant, je laisse sur vous mon Amitié et ma patience afin de vous aider à vivre ce moment du présent que vous appelez, la Vie...

⊡ ⊡ ⊡

Je SUIS

Au-delà du temps
Au-delà de l'espace
JE SUIS.

Simultanément,
En plusieurs endroits,
JE SUIS.

Le temps n'a plus
D'importance, car
JE SUIS.

L'espace n'a plus
De distance, car
JE SUIS.

Plus rien n'existe vraiment,
Plus rien n'est important,
Sinon que : **JE SUIS VIVANT**.

Shannaton

⊡ ⊡ ⊡

Chapitre 10

L'Ascension

TROISIÈME PARTIE

◈ ◈ ◈

Salutations, je suis Shannaton

Continuons avec le développement de la personnalité. Rappelez-vous le petit graphique avec les deux cercles l'un dans l'autre. Rappelez-vous que le cercle intérieur est le symbole de la personnalité qui se développe à l'intérieur de l'autre cercle qui lui, représente l'Être lui-même. Appelez-le corps physique ou espace vital, ou encore bulle de protection, c'est pareil. Votre personnalité se développe de votre intérieur le plus secret et intime et elle s'extériorise tout autour de vous, vers vos semblables. C'est pourquoi j'utilise deux cercles l'un dans l'autre et j'insiste pour que vous compreniez que le cercle intérieur grossit sans cesse pendant toute votre Vie, que vous soyez incarné ou non.

J'ai dit que cela se produisait normalement en sept tranches qui correspondent à chacun de vos sept corps subtils.

Comprenez que le schéma est fort simple, le voici :

1- Fabrication du corps physique... L'enfant se développe, grandit et prend une place dans son environnement en complétant son corps... **0 à 7 ans**.

2- Fabrication du corps éthérique... L'enfant apprend à se prendre en main et développe son caractère... **7 à 14 ans**.

3- Fabrication du corps astral... L'enfant s'affirme un peu plus et commence à voyager dans l'astral, imagination, rêves, etc. ... **14 à 21 ans**.

4- Fabrication du corps mental... L'enfant est devenu un homme ou une femme et prend sa vie en main. Le besoin de mental est de plus en plus évident. Comme si le hasard existait, c'est aussi l'âge où la majorité est accordée dans la plupart des pays. L'orientation de vie, les choix multiples et l'affirmation d'avoir sa place au soleil... **21 à 28 ans**.

5- Fabrication du corps causal... L'homme aspire à une valeur dans sa vie, dans son foyer, dans son couple, dans son travail etc. Arrivée du besoin d'avoir des enfants, prises de conscience multiples, observations fréquentes sur ce que les autres humains ont fait de la société, de la planète. Réflexions diverses et beaucoup de projections futures... **28 à 35 ans**.

6- Fabrication du corps bouddhique... L'homme constate et vit le plus pleinement possible. L'étape bouddhique est aussi l'étape de la sublimation, ou si vous préférez, la possibilité pour l'homme d'admirer vraiment par l'intérieur. Il voit grandir ses enfants, se positionne plus fermement dans sa vie professionnelle et sociale. Il a choisi l'endroit où il aime vivre et prend conscience qu'il vieillit. Il apprend à aimer vraiment les choses, les gens, les événements, etc. ... **35 à 42 ans**.

7- Fabrication du corps atmique... L'homme commence à se détacher des choses, il voit la vie de façon différente et prend conscience qu'il n'est qu'un dans le tout. Souvent, il se sent impuissant dans la société ou bien il se positionne très fortement au niveau social. Il sait, puisque l'expérience est acquise dans bien des domaines. Il peut être rusé ou d'une patience inouïe, c'est d'ailleurs à ce moment qu'il devient souvent grand-père ou grand-mère. Il a appris à reconnaître l'Amour et continu à se sentir vieillir en vivant le décès de ses propres parents comme une certitude à venir. Ici se joue deux grandes voies : L'une voulant que l'homme se mette à vivre au passé, étant dépassé par les événements et l'autre, étant de suivre à grands coups d'efforts, pour rester dedans. Donc à partir d'ici, il y a deux types majeurs d'humains : Ceux qui sont dépassés et ceux qui arrivent à suivre l'évolution... **42 à 49 ans**.

Voilà pour le cheminement normal d'une Âme sur votre belle planète. Je m'amuse avec le mot Âme car je devrais dire Esprit, mais dans le fond, je veux vous amener à comprendre que c'est la même chose et que ce ne sont que des mots. Pour nous c'est plutôt le sens qui compte afin de guider vers la Lumière, il est préférable de ne pas trop s'arrêter aux mots, mais au sens. Suivez votre voix intérieure, elle vous guidera dans le sens des mots.

Pour reprendre à partir des cercles, vous comprenez maintenant que chaque étape fait grandir la personnalité de l'Homme, mais il arrive que l'Homme soit mal centré ou déphasé et cela fera que... Regardez plutôt :

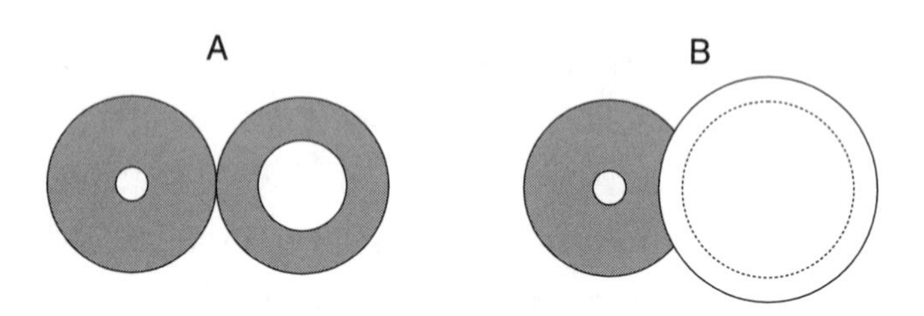

Dans le graphique A et B, nous avons deux personnes qui se côtoient. Comme vous le voyez, elles sont différentes dans leur propre personnalité. Si vous avez bien compris ce qui précède, vous déduirez probablement qu'elles n'ont pas le même âge et cela est très exact. Alors quelle est la différence entre ces deux dessins ?

Dans le graphique A, les deux personnes sont en harmonie, c'est-à-dire bien dans leur peau, donc bien avec les autres. Par contre dans le second dessin, le B, l'une est totalement débordée de son centre, c'est-à-dire qu'elle empiète sur toute personne qui l'approche. Cela signifie que dans sa vie, il y a eu déséquilibre et c'est de cette façon que nous le représentons. Ainsi **vous voyez**, et c'est le mot juste, un déséquilibre psychologique entraînant une personne à empiéter sur la personnalité des autres. Par exemple, une personne qui manque de confiance en elle-même aura tendance à imposer sa volonté aux plus faibles qu'elle, ou aux plus doux qu'elle, ce qui donnera ce graphique.

Donc, l'humain doit arriver à se développer **physiquement**, **émotionnellement** et **spirituellement** dans une seule et même vie avant de pouvoir avoir accès à d'autres niveaux d'expérience ou d'existence, d'où l'Ascension. Si vous parvenez à dominer tous vos centres physiques, émotionnels et spirituels dans une totale harmonie, vous arriverez automatiquement à ascensionner. Mais cela n'est pas une obligation, puisqu'il y a sur Terre actuellement UNE catégorie d'individus qui sont venus pour vivre cette expérience et seulement **une seule**. L'Ascension n'est pas le but ultime de toutes les créatures qui sont incarnées sur la Terre actuellement, croyez-moi, c'est vrai. Il se peut très bien que cette aventure ne soit pas pour vous et il ne faut pas vous en vouloir, car c'est très bien ainsi. Nous reparlerons dans d'autres écrits des autres groupes qui ne sont pas ici pour l'Ascension.

Pour le moment, je dois vous quitter et faire reposer mon canal qui commence à se fatiguer. Je laisse sur vous tous, ma Paix et mon Amour, en souhaitant que la connaissance soit le fruit de chacun de vos repas à venir.

Shannaton

Chapitre 11

L'*Ascension*

QUATRIÈME PARTIE

◈ ◈ ◈

Salutations, je suis Shannaton

Parlons maintenant de ceux qui sont venus ici, sur la Terre en cette époque, pour ascensionner. Pour comprendre ces Esprits, il nous faut remonter à bien longtemps avant l'époque d'aujourd'hui. Il nous faut refaire un voyage dans le temps et dans l'espace afin de rencontrer un peuple qui voyage dans les galaxies en vivant des aventures toutes plus fascinantes les unes que les autres, aventures qui sont leurs propres «**Histoires de vies**»*. Avant de commencer, je me sens un peu obligé de vous situer pour que vous puissiez mieux suivre ce qui vient.

L'Univers est rempli d'Énergies Divines Créatrices qui ont des spécialités différentes les unes des autres. Puisque vous, les humains, ne savez pas ce qui existe en dehors de votre monde, vous ne pouvez savoir qu'en fait, c'est carrément

* Histoires de Vies est le premier livre de l'auteur

indispensable que cela fonctionne ainsi. Il existe dans tout le Grand Univers des mouvements d'expansion qui veulent que le Grand Univers lui-même grandisse par la formation continuelle de nouveaux Univers qui sont, en fait, un ensemble de créations de systèmes solaires, comportant des planètes et de nouvelles dimensions non explorées, et en création continuelle. Pourquoi ?

Mais parce que Dieu grandit de l'inconnu jusqu'au connu, de l'infini jusqu'au fini. Qu'est-ce que le fini sinon que l'expérience accomplie et comprise par la domination ? Je ne dis pas domination dans un sens agressif, je l'utilise dans le sens de posséder. Par exemple : Cet élève possède bien sa matière. Donc le **fini** est le fait de **posséder l'expérience de ce qui est**, voilà pourquoi on dit que nul ne possède rien en ce bas monde où tous savent que la seule chose que l'on peut posséder **c'est l'expérience**. Même inconsciemment, l'homme n'a pas oublié cela.

Avec ces notions, il vous est plus facile de voir que l'Univers est en expansion et que quelqu'un, quelque part, crée de nouvelles formes de mondes et de vies afin que ses enfants, ou parties de lui-même, puissent habiter ces mondes et formes de vie pour expérimenter chacune d'elles et l'amener à un summum de développement. Tout ça pour que de futures nouvelles vies puissent aussi en faire l'expérience avec le moins de problèmes possibles. Que nous nommions la Source de l'Univers Dieu, ou Lumière ou Source, n'est qu'une question de mots. Encore une fois, je vous demande d'utiliser vos propres mots et de suivre seulement le sens de ce que je dis. Pourquoi faire évoluer chaque forme et chaque monde créés ? Tout simplement parce que tout ce que Dieu crée doit évoluer, n'oubliez pas l'expansion de la Source ou de Dieu. Si la Source grandit, son Œuvre grandit aussi et c'est pourquoi on dit que Dieu est exponentiel.

Dans l'ensemble des Créatures Divines, il en existe qui sont spécialisées pour faire passer un monde habité du type humanoïde primitif à un stage plus évolué et ce sont ces Créatures Divines qui sont venues sur la Terre, il y a très longtemps. Ces Créatures ne sont pas toutes d'une seule espèce, il y en a plusieurs avec, entre autres, les Adamites. Les Adamites sont spécialisés dans le peuplement et la préparation d'un monde arrivé à une certaine étape. Ces Créatures Divines, dont Adam et Ève faisaient partie, sont arrivées sur Terre dans des vaisseaux spatiaux pour y faire leur travail et cela il y a très longtemps. Nous en entendons encore parler dans certains livres, dont la Bible et le livre d'Urantia. Pour le moment, ce n'est pas le sujet, continuons donc avec l'arrivée d'un autre vaisseau, l'Étoile Bleue, qui contenait des Christiques, c'est-à-dire des Créatures Divines, qui apportent aux mondes où elles travaillent, la possibilité de transmuter l'Homme simple en un Homme conscient. Je m'explique :

Sur la Terre, comme sur d'autres mondes, il faut arriver à spiritualiser le véhicule corporel de l'Homme, afin d'amener la planète Terre elle-même, à produire un autre niveau de créatures qu'on pourrait appeler Homme-Dieu. Il y a une demande effarante pour ce type de Créatures Divines puisqu'elles permettent de sauter bien des étapes traditionnelles de transmutation d'un monde vers un monde avancé. Pourquoi ?

Parce que l'Univers grandit et qu'il arrive à une étape importante, soit la Création simultanée d'un grand nombre de nouveaux mondes. Il faut, pour le bonheur de la Source, peupler ces nouveaux mondes afin de les développer. L'Homme-Dieu, étant affranchi de l'expérience humaine et ayant retrouvé son appartenance Divine par un procédé que l'on nomme Ascension, est prêt à travailler sur ces nouveaux mondes et à créer la vie dans un laps de temps vraiment court, avec une facilité déconcertante. Comme tout évolue toujours, imaginez les Créatures qui descendront d'un Homme-Dieu et qui auront évolué par elles-mêmes. Imaginez les mondes que créerons ces Hommes-Dieu qui évolueront à leur tour et produiront aussi des nouvelles Créatures encore mieux adaptées à produire des nouvelles Créatures encore plus subtiles. N'est-ce pas merveilleux ?

Pour revenir aux Êtres Christiques, disons que dans le passé vous en avez des exemples connus, comme Jésus de Nazareth. Avant sa venue, la majorité des hommes de la Terre vivaient sans tenir compte de leur continuité, c'est-à-dire de l'Esprit ou de l'Âme. Tous ceux qui avaient un peu de pouvoir avaient aussi le droit de vie et de mort sur ceux qui n'avaient pas ce pouvoir. La guerre régnait donc partout dans le monde et on se tuait pour un oui ou pour un non, sans aucun compte à rendre à qui que ce soit. Depuis sa venue, 2000 ans ont passé et la même majorité s'est assagi par le fruit de Son travail. On ne peut plus s'entre-tuer aussi facilement. L'Homme a aussi développé la notion de vie après la mort et il est en train de commencer à comprendre qu'il n'est pas seul dans l'Univers. Bientôt, il aura accès à d'autres cultures que la sienne, en provenance d'autres planètes. La seule différence, c'est que ce ne sera pas quelques élus qui auront accès à ces connaissances mais la majorité. Le travail des Êtres Christiques est d'enseigner l'Amour de soi-même et le respect d'autrui. Ces Êtres d'Amour sont venus librement sur la Terre en sachant qu'il fallait s'y incarner pour avoir le droit d'y vivre et, je veux bien vous expliquer brièvement comment cela s'est passé.

D'abord, il y eut des tentatives d'adaptation de leurs corps physiques, car ils ne sont pas faits comme les humains de la Terre. À cette époque, sur le continent que vous connaissez comme étant l'Atlantide, des tests ont été faits pour essayer de rendre le corps de l'Homme de la Terre, compatible. Mais, les résultats ont été décevants car les germes de l'Homme-Animal étaient plus forts que les germes de l'Être Christique. Ils ont produit quelques spécimens d'Hommes-Dieu qui devenaient rapidement fous devant leur propre puissance et ils se sont entre-tués. Plus tard, en Égypte, ils ont essayé une nouvelle méthode qui voulait que certains d'entre eux se transmutent à l'intérieur du corps d'une femme, qui était choisi librement et, avec son accord. Ce fut l'arrivée massive de ces Êtres Christiques sur la Terre et la planète vibrait de la joie de recevoir ces Enfants de Dieu en si grand nombre. Ils arrivaient par vaisseau, et encore une fois, l'Étoile Bleue vint sur Terre avec à son bord des milliers de ces Êtres Christiques, ayant accepté de se transmuter dans un corps de femme. Après une courte et superbe cérémonie, ces Êtres déambulaient dans une salle immense remplie des plus belles femmes de la Terre, qui étaient toutes venues librement, pour enfanter de ces Dieux. Le choix de la partenaire se faisait simplement en se croisant du regard. Quand un homme Christique et une femme de la Terre s'unissaient dans leurs yeux, leurs cœurs venaient de s'unir pour une longue et merveilleuse histoire d'Amour. Les couples se rendaient aux quartiers assignés aux Êtres Christiques et **sans jamais se toucher**, car cela aurait pu tuer la femme, l'homme commençait à l'aimer si fort et d'un Amour si pur que la femme devenait enceinte. Pendant toute la grossesse, l'homme faiblissait et, à l'accouchement, il mourait dès que le bébé criait. Combien ce cri était significatif à cette époque. Un Être Christique avait quitté sa chair pour devenir un humain de la Terre.

En ces temps, ils avaient préparé des écoles et des centres de formations, où l'on accueillait dès leur naissance les enfants ainsi nés et ce pour toute leur vie. Jamais ces enfants ne revirent leur mère dans cette incarnation. Vous comprendrez pourquoi beaucoup d'entre eux sont revenus vivre avec ces femmes dans d'autres vies subséquentes. C'était magnifique, deux différentes espèces de Créatures Divines se sont unies pour former une nouvelle Créature Divine que l'on appelle l'Homme-Dieu, alors qu'elles ne pouvaient même pas se toucher tellement elles étaient incompatibles. Ce geste fut raconté dans tout le grand Univers comme étant une première et la planète Terre est devenue très populaire.

Ensuite, de siècles en siècles, on a continué de former des spécialistes des religions car c'était là le moyen qu'avaient décidé d'utiliser les Êtres Christiques pour amener l'Homme de la Terre à faire la prise de conscience, lui permettant d'évoluer personnellement et individuellement. Ce qui est intéressant ici, c'est de savoir qu'à partir de la naissance dans la chair humaine, chaque Être Christique devait, par lui-même et par un ensemble d'incarnations, se libérer seul de sa chair en se spiritualisant. Autrement dit, il s'obligeait à vivre comme tout homme né sur ce monde, à évoluer par lui-même, avec l'Homme. Par lui, avec lui et en lui était la seule issue possible pour redevenir un Être Christique transmuté en Homme-Dieu (ascension). Son seul avantage était que des Maîtres avaient été formés depuis des milliers d'années et ces hommes savaient reconnaître un ou une Christique incarné qu'il choisissait comme disciple. Ces disciples furent formés au cours des millénaires et c'est encore vrai aujourd'hui.

À l'aube de l'an 2000, il y a cependant une différence car le temps est venu pour ces Hommes-Dieu de commencer à prendre conscience de qui ils sont réellement. C'est ce qui explique le retour de l'Étoile Bleue dans notre Univers.

Je m'adresse maintenant à tous ces enfants !

Apprenez que votre Moi Créateur n'est pas mort !

Apprenez que les vôtres ont récupéré leur corps qui semblait mort sur la Terre et qu'ils l'ont ramené sur l'Étoile Bleue, votre vaisseau. Ces corps, vos corps, ont été régénérés et votre Esprit s'est réinstallé dans ce corps. Car en même temps que se développait le corps de l'enfant sur Terre, vous repreniez vos forces sur l'Étoile Bleue.

Apprenez que cette méthode est en fait un transfert d'une partie de vous-même dans un autre Être. Dans ce cas c'était un être humain.

Apprenez que vous êtes cet enfant né de vous, l'Être Christique, et celui de cette femme. Donc, vous êtes en même temps le Moi Créateur qui est retourné sur le vaisseau, Étoile Bleue et l'humain incarné qui me lit. Oui ! Tout cela est possible...

Appelez l'Être qui vit sur le vaisseau votre Moi-Supérieur et vous l'Être incarné et comprenez que vous ne faites qu'un.

Votre autre vous-même est celui qui porte le nouveau nom dont parle la Bible et il revient vers vous.

Apprenez que vous êtes totalement libre de l'accepter ou non, c'est votre choix et il le respectera, tout comme vos parents humains respectent ce que vous faites, parce que vous êtes leurs enfants.

Je désire, dans un autre texte, vous parler encore de l'Ascension. Avec une autre histoire que j'aimerais partager avec vous, pour l'instant je vous laisse dans la Paix et l'Amour de votre si belle planète, la Terre !

Shannaton

Chapitre 12

Les Êtres Christiques et leur Ascension

◈ ◈ ◈

Salutations, je suis Shannaton

J'aimerais continuer le thème précédent qui traitait de l'Ascension et des Êtres Christiques qui sont incarnés sur ce monde, pour vivre cette Ascension. Ces Êtres qui ont choisi de venir s'incarner, comme je l'ai expliqué précédemment, ont évidemment convenu à l'avance d'une porte de sortie, si vous acceptez l'expression. Pourquoi une porte de sortie ?

Tout simplement parce qu'une Énergie Créatrice Divine est libre. Libre de ses faits et gestes partout dans le grand Univers et que si elle choisit de vivre une expérience dans un monde, ou une dimension spécifique, elle saura définir un moyen d'y mettre fin pour ne pas rester pris dans son expérience. Cela est tout à fait logique et c'est aussi une connaissance innée chez toute Créature Divine. Voyons donc pour ce qui est des Christiques :

Nous savons qu'ils sont spécialisés à transmuter les habitants d'un monde à un niveau de conscience plus avancé.

En inculquant la conscientisation du Moi-Supérieur aux habitants de ce monde, que ce Moi-Supérieur s'appelle Dieu, Père qui est au Cieux, ou encore, le Fils ou même l'Esprit saint, ne change rien au but, qui est d'amener l'habitant d'un monde à comprendre qu'il est en fait une projection d'un Dieu, beaucoup plus grand que lui-même et de l'amener à accepter ce Dieu. Plus tard, le respect de soi et d'autrui se développe chez les habitants de ce monde et, petit à petit, on en vient infailliblement à vivre en harmonie avec d'autres peuples. Toujours plus tard, ces habitants en viendront à savoir que la vie existe sur d'autres planètes et pourront établir des contacts et des échanges avec de nouvelles races. Voilà le travail des Christiques ! Mais comment font les Christiques pour ne pas rester pris dans un monde comme la Terre, puisqu'on sait qu'ils se sont incarnés en oubliant qui ils sont ?

Bénie soit votre curiosité, car j'ai reçu la permission de répondre à cette question. Si nous reculons d'environ 2000 ans, nous retrouverons le plus grand de tous les **Christiques** de ce monde, qui se nommait à juste titre Jésus-**Christ**. Cet homme aurait pu être un Nazaréen comme tous les autres, mais, en fait, il s'agissait du Prince Planétaire incarné parmi les Hommes, rendant ainsi un grand hommage au travail effectué par la race des Christiques, jusqu'à cette époque. Plus tard, je vous reparlerai de ce Prince Planétaire, mais pour le moment, concentrons-nous sur les Christiques. Comme cet homme était le Prince de cet Univers, il était forcément le plus grand de tous ceux de sa race d'incarnation. Cela va de soi. Il a réussi sa vie, c'est-à-dire qu'il a réussi pendant sa vie incarnée à accepter :

1- Sa vrai nature
2- De transmuter qui il est vers qui il est en réalité (le Moi-Supérieur)
3- D'offrir son corps, son âme et sa vie à son Dieu intérieur (sa Divinité)
4- De faire la volonté de son Dieu intérieur et non la sienne (de passer par-dessus les besoins primaires de l'homme pour exécuter la volonté du Dieu intérieur et ce, dans le plus grand respect de sa partie humaine)
5- Que tout Homme est égal (même à lui)
6- De vivre cette vie pour lui et non pour les autres (la mission)
7- De vivre avec l'Homme, par lui et en lui. (C'est essentiel à l'Ascension, puisque la Divinité qui s'installe dans le corps d'un Homme ne le fait pas pour s'en aller aussitôt que l'Homme l'a acceptée. Elle doit accepter de vivre pour toujours en étant cet Homme en plus de ce qu'elle était déjà).

Nous pourrions parler pendant des heures de chacune de ces sept étapes et nous le ferons sûrement plus tard. Ayant réussi toutes ces étapes, Jésus-Christ a retrouvé sa mémoire Divine et a donc pris conscience de bien des choses. Entre autres, il s'est aperçu de l'ensemble du travail des Christiques, peuple qu'il avait choisi comme famille humaine et a compris qu'il leur faudrait encore du temps avant d'arriver à sortir de cette roue d'incarnations, dans laquelle ils étaient depuis plusieurs milliers d'années. En signe de quoi il a modifié son approche et a adopté celle que tous connaissent. Je parle ici du signe que se faisaient les maîtres initiés de cette époque en se rencontrant. Ils se présentaient en plaçant un poing fermé sur leur cœur ou encore, en avançant le bras gauche, main ouverte avec les doigts pointés vers le ciel (signe savant de leur appartenance avec les étoiles). Quant à lui, il fermait son poing seulement sur trois doigts et n'ouvrait sa main que sur deux doigts pointés vers le ciel. Pourquoi ?

Parce qu'il avait compris que les Christiques en avaient encore pour deux millénaires avant de pouvoir quitter ce monde et c'est de cette subtile façon qu'il le transmettait. Il avait aussi décidé de revenir en cette même période, avec les siens dans la chair d'alors, puisqu'il est né dans ce peuple. Ce signe de deux doigts, signifiait donc deux choses :

- 2 millénaires (2000 ans)
- 2 fois (je reviendrai dans 2000 ans)

Il savait que la porte de sortie avait été fixée à deux millénaires plus tard par le peuple qui vivait incarné dans la chair bien avant sa propre venue. Il faut dire qu'il existe dans l'Univers des sphères de mémoire pour tout, absolument tout. Un Esprit qui sait où chercher trouvera toujours les réponses à ses questions. Un peu comme sur le réseau Internet, quelqu'un qui connaît bien le système peu savoir à peu près tout ce qu'il veut.

Donc, la porte de sortie des Christiques a été fixée vers l'an 2000. Voilà pourquoi de plus en plus de ces descendants sont attirés vers l'intériorisation de l'Être, vers l'ésotérisme et la spiritualité. Comprenez que je ne dis pas que dans quatre ans tous auront ascensionnés, mais je dis que d'ici quelques décennies, il reviendra apporter leurs mémoires à ceux qui n'auront pas su ou pu les retrouver. Par exemple, prenons ses parents Marie et Joseph. À ce jour, il n'est pas su nulle part qu'ils ne soient pas réincarnés. Si vous étiez à sa place, qui voudriez-vous aider plus particulièrement que d'autres ?

Non ? Et combien sont-ils ? Deux ! Comme ses deux doigts pointés vers le ciel. Encore le deux ! Aurait-il voulu dire : Je reviendrai dans deux millénaires vous aider à passer la porte si vous ne l'avez pas fait, ainsi qu'à tous vos frères et sœurs Christiques ?

Une chose est certaine, comme Il a Ascensionné, il n'a plus besoin de s'incarner pour revenir. L'Être qui a franchi cette étape peut "dématérialiser" son corps et le "rematérialiser" à volonté, où il le veut. Voilà un autre sens à sa fameuse phrase **«Je reviendrai comme un voleur»**.

Je suis Shannaton, un messager, je vous aime tendrement et sincèrement de toute ma personne.

Chapitre 13

Quelle est ma mission ?

⊡ ⊡ ⊡

Salutations, je suis Shannaton

J'ai choisi ce titre parce que c'est la question la plus demandée à l'humain qui me sert de véhicule.

- Combien de fois le lui a-t-on demandé?

- Combien d'entre-vous se le demandent?

Voilà donc un thème qui nous tient tous à cœur. Nous, de ce côté de la Lumière, savons des choses rien qu'en les demandant. Il est facile pour nous de savoir, car nous n'avons qu'à nous intéresser à quelque chose, pour être immédiatement informés. Par exemple, si je veux savoir comment la Terre est arrivée à être ce qu'elle est aujourd'hui, je n'ai qu'à le demander. Aussitôt demandé aussitôt répondu. J'ai accès à différentes sources d'informations et il ne me reste qu'à choisir celles qui m'intéressent le plus. Pourquoi plusieurs sources d'information ?

Tout simplement parce que ma question offre un vaste choix de réponses.

- Qu'ai-je voulu savoir sur la Terre ?

- Est-ce que je m'intéresse à sa géologie ou à ses habitants ?

- Est-ce que je veux voir certaines époques en particulier ?

- Est-ce que je veux connaître les particularités de sa personnalité ?

- Quelle partie de son développement m'intéresse ?

Vous voyez bien que je peux m'intéresser à plusieurs sujets qui concernent la Terre et c'est pour cela que je reçois un vaste choix de réponses.

Par contre, pour un être incarné qui vit dans la chair, ce n'est pas aussi facile. Quoique ce soit la même chose qui se produise, vous en êtes plus ou moins conscient. Car, selon votre évolution, ou votre ouverture d'esprit, vous êtes à même de comprendre que lorsque vous vous intéressez à quelque chose en particulier, vous avez aussi plusieurs possibilités d'expérimentation. Tout comme moi, sauf que j'en suis conscient, tandis que vous ne l'êtes pas, parce que vous avez oublié.

Je ne veux pas paraître prétentieux en parlant de la sorte, mais les faits sont là, n'est-ce pas ?

Chaque Esprit qui arrive à se projeter dans la matière (incarnation) produit un double de lui-même (homme) qui cherche à se souvenir, tôt ou tard, de qui il est. C'est le cycle de l'incarnation qui veut que cela soit ainsi. Évidemment, chaque monde habité, ou planète, offre un type différent de véhicules (corps) ainsi que plusieurs types de personnalités. C'est logique, si on tient compte du fait que les véhicules sont fournis par la planète et qu'ils jouissent de la personnalité de cette dernière. Ceux qui ne croient pas que la Terre puisse avoir une personnalité n'ont qu'à arrêter de lire ce texte, car il ne peut avoir aucun sens pour eux. Sachez que votre planète, la Terre, est vivante tout comme vous. Dans un sens, ce serait plutôt le contraire et on devrait dire : Sachez que les êtres humains sont vivants, tout comme la Terre puisqu'ils en sont les enfants. Cette dernière façon de s'exprimer serait plus juste que la première. Pour certains Hommes, on dirait à les écouter qu'ils ont existé avant la Terre et qu'il n'y a qu'eux qui comptent pour Dieu. Ce n'est pas de ma part un reproche, mais cela dénote un manque de recul devant une réalité peut-être trop grande pour eux et je leur adresse ce petit mot avec gentillesse et respect. Nous sommes tous les enfants de quelqu'un et c'est pourquoi nous sommes tous égaux, ne l'oublions jamais.

Pour en revenir à votre mission, il me faut ouvrir une deuxième parenthèse, Je m'excuse de faire autant de détours quand je vous parle, mais, de cette façon, j'arrive à faire **PASSER UN SENS** à mes textes. Revenons 2000 ans en arrière. Nous voici sur la Terre en l'an 1, par exemple, et la population dépasse le milliard d'habitants. Comme beaucoup d'entre vous, ils avaient tous une mission, un but à atteindre. Je m'explique :

Dès qu'une personne commence son Éveil Spirituel, elle arrive assez tôt à prendre conscience de l'Amour Infini. Alors, elle se sent attirée vers les autres et c'est normal. Elle a de plus en plus besoin de partager et s'avance sur le sentier de la Lumière en partageant de plus en plus avec ses semblables, se sentant appelée à devenir leur support. En les aidant, en leur enseignant ce qu'elle a compris, cette personne remplit honnêtement sa mission, mais, il lui manque quelque chose. Quoi ?

La grandeur... Oui ! La grandeur de sa mission ! Je m'explique. Quand on a commencé à comprendre la partie qui se joue sur la Terre, ou le scénario des incarnations, on a alors une vue d'ensemble de certaines choses. On peut facilement voir les erreurs commises, souvent même à répétition, par nos semblables et il est en fait presque difficile de ne pas intervenir. C'est pourquoi les grands maîtres de l'époque enseignaient que le silence vaut mieux que la parole, ou l'action. Le but ultime étant de rejoindre sa propre Source de

Vie, à quoi bon essayer de sauver un monde rempli de gens qui ne veulent pas nécessairement être sauvés. Voilà ce qu'on enseignait à l'époque, mais pourquoi ?

Parce que votre **véritable mission** est probablement **d'être ici, présent,** en ce moment. Si je ne m'abuse, voilà la véritable mission d'environ 99% d'entre vous. Voulez-vous une preuve de ce que j'avance ?

J'espère que oui, car nous sommes revenus 2000 années en arrière justement pour cela. Il sont un milliard sur la Terre à vivre et combien d'entre eux ont une mission très spéciale ?

UN ! Oui ! un seul, **Jésus le Nazaréen**. Vous voyez que cela ne nous donne qu'un humain sur une possibilité de un milliard, comment cela se peut-il ?

Parce que votre mission n'est pas de sauver le monde, tout simplement. Jésus-Christ est venu enseigner à l'Homme qu'il était beaucoup plus grand qu'il ne le pensait lui-même. En partageant **Sa vision** de **Sa propre Vie**, il a communiqué de nouvelles données qui ont permis à l'Homme, une fois intégrées dans sa vie, d'arriver à se détacher un peu plus de la matière primaire de son corps pour enfin commencer à croire qu'il provient d'une **Source Divine**. Enseigner la continuité est-ce vraiment sauver le monde ?

Nous ne pouvons pas répondre à cette question et nous ne voulons pas le faire, non plus. Elle demande une réponse **personnelle et individuelle**. Aucune réponse ne peut satisfaire la collectivité et c'est normal. Mais alors que faites-vous ici, si vous n'avez pas à sauver le monde ?

VOUS VIVEZ ! Voilà! **VOUS VIVEZ** !

Dieu, la Source est **AMOUR** et l'**AMOUR** veut que ses enfants expérimentent des mondes différents afin d'être un jour, **à leur tour, à leur façon, AMOUR**.

Je vous laisse, dans L'AMOUR et la Lumière, méditer sur ces propos.

Shannaton

Chapitre 14

Le *cerveau humain*

◈ ◈ ◈

Salutations, je suis Shannaton

Depuis ma dernière dissertation, j'ai commencé à répondre à certaines questions qui sont posées à mon véhicule et j'aimerais continuer dans ce sens. Mon but est clair et simple, partager des connaissances avec ceux qui en font la demande.

Demande = Questions

Parlons maintenant de votre appareil cérébral à deux hémisphères, qui est rempli de neurones nourris par un flux et un reflux d'électricité, et qui est relié à votre système nerveux, afin de contrôler votre corps. Pour nous, il s'agit de vos deux cerveaux, le droit et le gauche. Le cerveau gauche s'occupe des fonctions vitales physiques et le droit s'occupe de la pensée et des fonctions subtiles comme l'imagination, la projection, les mathématiques. Voilà pourquoi nous disons que l'Homme possède deux cerveaux même si tous s'entendent pour n'en voir qu'un.

Le cerveau humain est un appareil très sophistiqué et, en plus, c'est un **récepteur-émetteur** (non l'inverse), qui vous permet de rester en contact les uns avec les autres et en contact avec des entités plus subtiles dont vous ne voyez pas, si l'on peut dire, les corps matériels. Qu'ils soient guides, Anges ou autres, votre cerveau **capte les informations** qui **vous** sont transmises **par ces Êtres**.

Votre cerveau a été conçu dans le but de vous libérer de tout un ensemble de tâches essentielles à l'organisme qui constitue votre véhicule (votre corps). Votre cerveau a reçu de votre part un trop grand intérêt quant à son utilité, ou à ses fonctions, au cours de l'évolution de votre race. Avec l'avènement de la nouvelle race humaine, les Hommes-Nouveaux, cela rentrera dans l'ordre naturel des choses.

Il faut comprendre que c'est en grande partie, à cause du cerveau, que l'Homme se différencie de l'animal. Mais la vraie différence se situe au point de vue Spirituel et non physique, car l'Homme est un Dieu vivant dans une chair évoluée, de provenance animale, et non un animal plus intelligent qu'un autre animal, à cause de son cerveau plus développé. Nuance !

D'ailleurs cette ressemblance avec l'animal explique beaucoup de réactions des créatures humaines. Par exemple :

Vous êtes des mammifères, donc vos femmes portent les enfants en elles jusqu'à la naissance de ceux-ci. Ensuite, elles

les allaitent. Ajouter une période assez longue de complète dépendance des nouveau-nés et vous aurez une ressemblance frappante avec un mammifère très évolué. C'est normal, puisque la génétique Universelle a utilisé la capacité de la planète Terre, afin de créer un moule pouvant contenir une Créature Divine qui viendrait y vivre, et ce, pour développer son individualité par le développement d'une personnalité incarnée dans la chair. Voilà pour votre ressemblance avec les races animales!

Par contre, comme vous êtes de nature Divine, vous avez en réalité une autre partie, une troisième, qui est située un peu au-dessus de votre crâne, que nous appelons le **troisième cerveau de l'Homme**. Bien sûr, étant éthérique, cette partie est invisible à vos yeux et elle est aussi atrophiée chez la plupart des humains. L'Ère du Verseau se veut la période de développement de ce troisième cerveau et pendant les prochains millénaires, l'Homme sera de plus en plus conscient de ce cerveau et il apprendra à l'utiliser. Pourquoi donc un troisième cerveau ?

Que j'aime vos questions ! Parce que, pendant que le premier s'occupe de vos fonctions vitales, le second pourra unir le premier et le troisième puisque l'Être incarné dans la chair, que vous êtes, sera de plus en plus Divin. Le cerveau Divin, ou le troisième cerveau, à la différence du cerveau humain, ne meurt jamais et possède une mémoire Divine qui n'oublie jamais. C'est avec ce cerveau qu'un Être Céleste se développe et devient une Créature Divine ou une Énergie Divine Créatrice. D'ailleurs, vous qui savez que le temps n'existe pas en réalité, vous pouvez sûrement deviner qu'en fait vous avez toujours eu ce cerveau Divin et que vous ne vivez actuellement qu'une de vos nombreuses «**Histoires de Vies**». Vous avez toujours existé et vous l'avez toujours su. Ce que vous croyez vivre actuellement, n'est qu'une de vos vies. Toutes vos connaissances sont accumulées quelque part en vous, comme par exemple, dans ce troisième cerveau situé juste au-dessus de votre tête. N'avez-vous pas déjà remarqué que des médiums ou voyants disent **voir** les informations qu'ils vous donnent au-dessus de vous, dans ce qu'ils appellent votre aura.

Sachant ces choses, il serait bon, pour vous, de commencer à accepter que le meilleur endroit pour comprendre, c'est votre Esprit (troisième cerveau). C'est pour cela que l'on vous demande de faire confiance à votre Cœur et de ne pas tout intellectualiser dans votre matière grise. Pour ma part, j'aime beaucoup expliquer ceci :

À quelqu'un qui veut toujours des preuves quant à ses dons, ou talents, ou encore ses sentis, et qui doute parce que ce n'est pas rationnel, terre à terre, ou palpable. Aussi à celui ou celle qui lit un livre spirituel ou ésotérique en essayant de tout interpréter avec son cerveau et ses principes, je dis :

«N'oublie pas que le corps de l'Homme meurt un jour. Que ton cerveau n'est qu'un morceau de matière grise qui ira se décomposer dans la Terre et qu'il n'en restera rien après quelques années. Alors à quoi bon y faire entrer toutes les connaissances que tu essais de mémoriser. À quoi peut te servir de remplir de connaissances ce qui ira pourrir dans la Terre? Pourquoi ne pas plutôt essayer de lire ou de vivre avec ton Âme et tes sentis? Tu es un Dieu ou une Créature de provenance Divine, si tu préfères, qui vit dans la chair pour faire l'expérience de ce type de vie. Un jour, tu quitteras cette chair parce que tu n'en auras plus besoin, comme tu as jeté cette vieille chemise que tu aimais tant et que tu as tant portée. C'est ça la vie, un temps pour chaque chose et chaque chose en son temps.»

Aimez-vous tel que vous êtes et apprenez à vous voir de très haut. Si haut que, je l'espère, vous pourrez vous voir avec les yeux de votre troisième cerveau.

Chapitre 15

Méditer, pourquoi ?

◆ ◆ ◆

Salutations, je suis Shannaton

J'aimerais vous entretenir cette fois d'un sujet qui me tient à cœur, la méditation.

La méditation est le nom utilisé par l'Homme pour décrire un état naturel de concentration plus ou moins profond et provoqué, pendant lequel il est centré sur lui-même. Cet état est dû à une série de manœuvres exécutées volontairement par l'Homme pour se détendre et pour s'arrêter. Le vrai but de la méditation est en fait simplement **de s'arrêter** et c'est afin d'atteindre ce but que plusieurs pratiquent cet art qu'est la méditation.

Que signifie au juste, s'arrêter ?

Pour moi, il est évident que l'Homme incarné court constamment après quelque chose et qu'il ne peut atteindre ce quelque chose puisque cette chose s'éloigne de l'Homme au fur et à mesure qu'il s'approche. Comme le petit chiot qui court après sa queue en tournant et qui ne pourra jamais l'attraper, l'Homme court après des illusions, illusions provoquées de toutes pièces par une société qui les fabrique souvent au nom de la liberté. Il me suffit de penser à toute l'éducation reçue par un jeune Homme adulte pour être accepté dans le monde des grands ; une éducation jugée nécessaire afin de séparer les enfants des hommes. Pour la majorité des peuples, cela va d'une initiation de base jusqu'aux mœurs les plus civilisées et les plus complexes. Rappelez-vous simplement toutes ces choses qu'on vous a dites comme : «**Mais cela ne se fait pas.**»

L'Homme recherche constamment sa liberté même s'il la possède de naissance comme un droit acquis. Je veux dire que l'Homme naît libre et qu'il le devient de moins en moins en vieillissant. Parce que l'Homme est social ! Voilà pourquoi !

Si vous vivez dans une commune de cent habitants, les lois sont moins strictes que si c'est une ville de 10,000 habitants. C'est la même chose entre cette ville et une autre de 1,000,000 d'habitants. Il est évident que, dans la commune, vous aurez de plus grandes marges de manœuvre que dans la grande ville où la loi est beaucoup plus stricte à cause du nombre d'habitants. Comme on vous laissait tout faire lorsque vous étiez bébé et qu'on vous a restreint de plus en plus de droits en grandissant, vos droits vous sont aussi supprimés si vous vivez avec beaucoup de monde. Vous n'avez qu'à penser au code de la route, par exemple ou encore à la sécurité des enfants. Vous verrez qu'il est facile d'être très permissif, avec un peu de monde et pas du tout permissif, avec une foule. La règle est toujours la même si l'on est nombreux : il ne faut pas créer d'antécédent. Donc, on prive tout de suite tout le monde pour éviter qu'un petit malin se permette telle ou telle chose. C'est ça la liberté dans un monde peuplé et social.

Alors l'Homme se sent, avec raison, étouffé. Il a besoin de périodes de temps ou il redevient libre à nouveau et c'est à ce moment qu'il se tourne, bien souvent, vers la méditation. Ici aussi, la société essaie de le ramener, en lui enseignant qu'il peut être attaqué par des créatures astrales monstrueuses, ou encore par des démons, ou même qu'il peut devenir fou s'il s'adonne à découvrir des choses qu'il ne peut pas comprendre. Car seuls certains hommes très éduqués peuvent se permettre d'aller au-delà des limites de la réalité. Mais qu'est-ce que c'est que cette réalité ?

La réalité est ce qui est admis par l'ensemble, sous l'influence de l'ensemble et compréhensible par ce même ensemble d'individus. Si vous me suivez, vous trouverez que la réalité n'est forcément qu'une toute petite partie de ce qu'elle doit être. C'est vrai, vous savez bien que si je demande à tous d'être d'accord, je serai obligé d'éliminer tout ce que certains n'aiment pas ou n'ont pas compris. Voilà une véritable image de ce qu'est votre réalité !

Il est temps d'aller au-delà des autres. Il est temps de voler de vos propres ailes et de découvrir ce qui vous est accessible,

à vous, pas à tous. L'Être humain vit sur cette planète pour développer son individualité. Pour arriver à cela, il doit d'abord développer sa personnalité et c'est cette dernière qui se développe dans la foule. C'est cette foule qui étouffe l'individu avant qu'il évolue avec le développement d'une personnalité qui s'affirme. Combien de grandes âmes sont devenues des adultes sur votre monde et ont été étouffées par vos sociétés, à cause de principes et de mœurs. Bien sûr que cela dépend de l'époque à laquelle elles ont vécu et bien sûr qu'elles ont librement choisi ces époques pour y apprendre, mais les faits demeurent.

Vous donnez la vie à des enfants à qui vous retirez tous les droits au fur et à mesure qu'ils vieillissent et croyez-le ou non, vous ne pouvez faire autrement. Parce que vous vivez dans de trop grosses sociétés ou collectivités, vous n'avez pas le choix. Toutefois, cela est bien qu'il en soit ainsi pour le moment. L'Homme développe ses corps subtils un à un et il est arrivé au tournant du Verseau où il commencera une autre étape. Bientôt, d'ici quelques décennies, vous ne voudrez plus êtres entassés les uns sur les autres et rechercherez un plus grand espace vital. N'ayez pas peur des changements et souhaitez-les vivre en harmonie et en paix. Méditez un peu chaque jour afin de vous centrer sur vous-mêmes et de retrouver la Lumière qui vit en chacun de vous. Soyez heureux et apprenez à regarder en face ce que vous vivez en ces temps présents. C'est pour cette raison que je me suis permis de vous parler aussi directement.

Il est venu le temps où l'Homme saura reconnaître ce qui est bon pour lui et ce temps commence aussitôt que vous serez prêt. La méditation a pour but de vous arrêter et d'arriver à reconnaître la folie collective qui mène le monde actuel. Les gens se perdent sans arrêt dans des mondes imaginaires, vides de sens. Il vous faut ceci, il faut que vous ayez cela, sinon vous ne pouvez être heureux. Ce sont ces mots qui vous guident, ce sont ces idées que des professionnels utilisent pour vous diriger. Apprenez à reconnaître la vraie valeur d'un bien. Vaut-il vraiment la peine de changer de voiture ou de maison ?

- Avez-vous vraiment besoin de ce voyage ?

- Ne serait-ce pas des choses qui vont vous obliger à travailler plus encore et à vous stresser avec plus de paiements à faire ?

- Quelles sont les vraies valeurs dans la vie, sinon la vie elle-même ?

- Que possède un enfant sinon sa propre vie ?

Bien sûr! Il vous faut vous occuper de vos enfants et leur procurer du confort, mais jusqu'où ?

Je ne vous demande pas de changer votre vie seulement parce que vous avez lu ce texte, je vous demande seulement de vous offrir du temps. À partir de ce texte, méditez sur votre propre vie, sur vos propres valeurs. Sur ce qui compte vraiment pour vous :

- Est-ce un bien nouveau ?
- Ou un but à atteindre ?
- Qu'est-ce que cela vous apporte d'atteindre ce but ?
- Plus de bonheur ?
- Serez-vous plus heureux ?

Voilà des bonnes questions à se poser car après tout, c'est de votre vie qu'il s'agit. Je vous souhaite de méditer sur tout ce que vous voulez, sur ce que vous aimez, sur qui vous êtes. Je vous souhaite de trouver l'Amour Divin dans vos réponses et je suis certain que vous vous apprécierez d'avantage.

Amitié,

Shannaton

Shannaton nous propose deux méditations, pages 135 et 139.

Chapitre 16

L'*hypnose*

PREMIÈRE PARTIE

Salutations, je suis Shannaton

J'aimerais vous parler cette fois d'un curieux phénomène. Pourriez-vous croire qu'il soit possible d'arriver à hypnotiser tous les habitants d'une planète ?

Hé bien ! La réponse est : **OUI** ! Il est possible d'y arriver et c'est même déjà fait.

Pourquoi ? J'aime quand vous me posez cette question ! Simplement parce que de cette façon, il est possible de contrôler tous les habitants de cette planète.

Comment y arriver ? Ça, par contre, c'est plus difficile à répondre. Si vous me le permettez, j'essaie de vous expliquer, par cet exemple :

Il était une fois, dans le Grand Univers, une planète splendide. Une planète où les Énergies Divines Créatrices et toutes les autres espèces de Vie pouvaient venir prendre un repos, des vacances, ou encore, essayer de vivre dans des formes de véhicules aussi étonnants que divers. Ce paradis se nommait Éden et, à cette époque, la planète où il était situé avait tellement d'Amour qu'elle acceptait toutes les demandes qui lui étaient adressées. Si, par exemple, vous étiez là, à cette époque, il vous suffisait de penser pour obtenir. Supposons que vous étiez une Énergie Divine qui voulait connaître la joie de vivre dans un corps humain. Vous veniez près de cette planète et lui demandiez la permission de vous incarner en humain. La réponse était toujours... OUI! Il ne vous restait plus qu'à prendre une petite partie de vous-même et à la projeter sur la planète. Immédiatement apparaissait un nouvel habitant humain, homme ou femme selon votre choix, et il ou elle était parfaitement formé. Vous n'aviez plus qu'à apprendre à marcher et à rejoindre les autres humains déjà installés. Ils vous accueillaient à bras ouverts et l'intégration dans ce groupe était toujours une grande joie. Avec le temps, ce nouvel être s'habituait à son corps et il était conscient d'être un Esprit Divin dans un corps de chair. Il savait qu'il pouvait mettre fin à cette expérience quand il le voulait et s'amusait au maximum dans ce merveilleux paradis.

La vie y était facile et parfaite, quand le corps avait faim, l'être pensait à sa faim et la nourriture apparaissait aussitôt, en abondance. Toutes les espèces d'animaux possibles existaient, mais aucune ne dévorait les autres, toutes vivaient en paix. La seule règle en ce lieu était de respecter le LIBRE ARBITRE des autres. Aussi, il n'était pas rare de voir un humain se transformer en animal pendant un temps. Si une créature voulait se baigner, un point d'eau apparaissait instantanément car la planète ressentait ce que les créatures voulaient. La température de l'eau était parfaite et idéale pour celui ou celle qui se baignait. L'étang s'ajustait en grosseur et en profondeur selon les besoins des êtres qui s'y baignaient. Souvent, on voyait un homme courir jusqu'à l'étang et en sautant, il se transformait en poisson ou en dauphin, puis ensuite, il plongeait et nageait. Il pouvait même ressortir de l'eau sous la forme d'un oiseau et s'envoler dans le ciel.

OUI ! C'était un endroit magnifique, où nous aimerions tous venir passer nos vacances. Pour ceux qui sont en recherche de connaissances, mon véhicule a pris cet exemple dans un livre édité par **Ariane** dont le titre est «**La vraie nature de la volonté**». Je ne me gênerai jamais pour prendre mes exemples dans des livres que mon véhicule a lu, car je suis Shannaton, un messager. Je n'ai pas à tout inventer moi-même et j'aime que celui qui partage ma Lumière partage aussi la Lumière d'autres Êtres. Cela lui permet aussi d'utiliser son discernement afin de ne pas croire n'importe quoi et de définir par lui-même ce qu'il peut accepter. Mais revenons à l'exemple. Qu'est-ce qui a pu se passer à cet endroit et où est-ce ?

Certains d'entre vous l'auront peut-être deviné, cet endroit merveilleux, Éden, est situé sur la Terre. OUI ! Votre Terre. Enfin, était situé, car il n'en reste pas vraiment de traces parce qu'à une époque donnée, la Terre a accueilli des créatures qui ne connaissaient que la guerre. Dès leur arrivée, ces êtres ont commencé à appliquer ce qu'ils connaissaient sur Terre et les habitants de l'époque ne s'en souciaient pas vraiment. Sauf que la Terre donnait ce que l'on demandait ! Imaginez que deux de vos amis soient dans des corps de gazelles et qu'un lion, qui est en fait un soldat, ait faim. Bien sûr qu'il va attaquer les gazelles ! D'abord pour le jeu et ensuite pour la faim. Maintenant, imaginez votre réaction de voir vos amis dévorés vivant devant vos yeux et imaginez aussi leur réaction. Il n'était pas prévu que l'on puisse mourir sous la forme d'une gazelle, quel traumatisme !

Voilà en partie comment cela a commencé à aller de travers. Celui qui était dévoré vivant ne pouvait se souvenir qu'il était Divin à cause de sa peur. Remarquez que cet Esprit incarné n'a jamais eu aucune idée que la peur pouvait exister, il n'a donc pas réagi Divinement, donnant ainsi, la chance à l'autre, plus fort, de le dévorer vivant. À cause du LIBRE ARBITRE, s'il avait réagi assez vite, il aurait pu affirmer son égalité. N'oubliez jamais que nous sommes tous égaux et que la seule façon qu'un Esprit puisse nuire à un autre Esprit, est que l'un des deux reconnaisse son infériorité vis-à-vis de l'autre. C'est à ce moment que le plus agressif prend une partie de l'Énergie du plus faible qui la lui donne carrément. Sans cela, personne ne pourrait être plus fort qu'un autre.

Voilà le truc que les Esprits guerriers ont trouvé. Si tu réussis, de n'importe quelle manière, à convaincre quelqu'un qu'il est plus faible que toi ou que tu es plus grand que lui, tu gagnes !

Voilà ce qu'ils ont fait et c'est ça qui a engendré le reste. Chaque fois qu'un Esprit sur Terre arrivait à en dominer un autre, il grandissait en pouvoir. La victime, en accordant de la fausse importance à un autre, reniait qu'ils étaient égaux et par le fait même reniait sa propre Divinité. Petit à petit, il devenait de plus en plus facile de berner les Esprits incarnés. Pensez que la Terre créait automatiquement ce que l'on souhaitait. Selon vous à quoi pensent des soldats ?

À la guerre ! Pour faire la guerre, il faut des ennemis et la Terre, par Amour, en donnait. Les animaux devenaient carnivores, des monstres de toutes formes apparurent, souvent mi-homme, mi-animal. Pour un Esprit qui ne connaissait pas la peur, je vous dis que ce n'était pas facile à vivre. Normal que beaucoup d'entre eux perdirent la notion de leur Divinité. Normal aussi que la Terre devienne de moins en moins éthérique et de plus en plus dense, car les corps des êtres qui y vivaient devenaient de plus en plus denses. C'est cela qui a amené la mort, le vieillissement et la maladie des habitants. C'est en cette période qu'a débuté la réincarnation aussi. Comment un Être Divin qui a oublié qu'il était Divin peut-il retourner à sa Source Divine ? Impossible, et en plus, si cet être était traumatisé, il se créait automatiquement un karma afin de se libérer.

Plusieurs dizaines de milliers d'années ont passé depuis et les êtres qui étaient sur la Terre se réincarnent toujours. Bien sûr que certains ont mis fin à ce cycle, mais d'autres ont continué à arriver pour venir y vivre l'expérience de l'incarnation. Je vous dis tout cela avec légèreté, puisque de toute façon, vous êtes toujours au bon endroit au bon moment. Ayez confiance, car cela achève, ayez confiance, car vous avez maintenant, pour la plupart d'entre vous, assez profité de ces expériences pour développer votre individualité.

OUI ! C'est cela l'individualité, c'est être capable de reconnaître que nous sommes tous égaux et que nul ne peut prendre ce que nous ne voulons pas lui donner. C'est la liberté de vivre, où qu'on le veuille et de la façon qu'on le désire. Il y a dans le Grand Univers suffisamment de planètes pour que tous nous ayons une place à nous. Une place où nous pouvons êtres libres et heureux, en harmonie avec les autres. Pour le moment je me contente de vous laisser réfléchir à tout cela. Se pourrait-il que l'hypnose soit en quelque sorte, le fait de laisser les autres nous dire qui nous sommes et ce que nous devons faire ?

Shannaton

Chapitre 17

L'*hypnose*

DEUXIÈME PARTIE

⊡ ⊡ ⊡

Salutations, je suis Shannaton

Continuons à parler de l'hypnose. Si vous vous rappelez, je vous ai expliqué qu'en fait, il s'agissait pour certains Êtres de faire croire à d'autres Êtres qu'ils leur sont inférieurs. Cela permet à ces derniers de contrôler les êtres incarnés et le monde ou la planète sur laquelle tout se passe. Mais pourquoi vouloir contrôler un monde ?

Bonne question ! Si on tient compte du fait que Dieu ou la Source nous a créé tous égaux, quel avantage avons-nous à vouloir contrôler un monde et ses habitants. La réponse est on ne peut plus facile en fait, car La Source a voulu permettre à toutes les catégories de Créatures de vivre en harmonie et pour atteindre cette harmonie, il est primordial que chacune de ses Créatures soit parfaitement consciente de qui elle est, de ses propres limites et de ses capacités d'accepter une autre Créature dans son environnement, ou non. C'est-à-dire d'apprendre à respecter son espace vital. Chacun de vous, ici sur la Terre, est en train d'apprendre à utiliser et à défendre son espace vital, voilà pourquoi certains d'entre vous cherchent à contrôler les autres !

Comprenez que :

- **La Source ne connaît pas le bien ou le mal, tels que vous, humains, les connaissez.**

- **La Source ne connaît pas la souffrance, telle que vous humains la connaissez.**

La Source est toute chose, toute émotion et tout endroit de l'Univers, alors comment pourrait-elle se limiter à être un seul endroit, une seule émotion ou encore une seule chose ? Cette notion est quand même difficile à comprendre pour un Être incarné dans son corps de chair et c'est normal en ce moment. Par contre, ces phrases expliquent pourquoi Dieu vous laisse souffrir tant et pourquoi Il ne semble pas répondre à vos prières. Sachez le reconnaître tel qu'Il est, tout simplement. Encore beaucoup trop d'entre vous ne prient que lorsqu'ils ont besoin d'argent et certains même prient pour qu'un tel soit puni de ce qu'il lui a fait. Au lieu d'accepter que vous créez vous-mêmes vos chemins de vie, vos expériences, vous croyez encore que ce sont les autres qui vous les font subir. Mais qui sont les autres, sinon d'autres Êtres incarnés, comme vous, qui croient aussi que ce sont les autres qui leur font tout subir.

Depuis des millénaires, l'Homme a subi, parce qu'il le voulait, des milliards d'épreuves. Fièrement, il les a créées les unes après les autres afin de subir toujours d'avantage, afin de souffrir d'avantage. Il a souffert dans sa chair et dans sa tête, dans ses émotions et même dans ses corps subtils avec lesquels il vit, après la mort de son corps physique. Voilà la vérité !

Pourquoi ?

Parce que l'Homme veut apprendre, sur cette planète, à respecter son individualité. Respecter son libre arbitre, avec un **Amour inconditionnel** et **Divin**. En fait, **apprendre à vous accepter** et **à vous reconnaître une égalité avec quiconque,** **peu importe qui il est**. Apprendre que personne ne nous est **ni inférieur, ni supérieur** n'est pas une simple tâche et c'est cela que vous êtes en train d'achever, ici, sur la Terre. **Humains, réveillez-vous** !

Rappelez-vous cet autre texte d'enseignement où l'on voyait un petit cercle dans un plus gros. Voilà l'expression graphique qui illustre ce dont je parle. Rappelez-vous que je vous avais enseigné que le petit cercle est en fait votre propre personnalité et que le grand est votre espace vital. Souvenez-vous aussi des dessins où l'on voyait des tas de cercles collés les uns sur les autres.

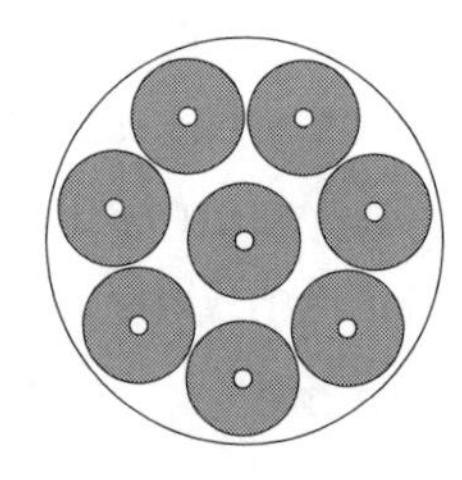

Maintenant :

- Vous pouvez ainsi comprendre l'égalité.
- Vous pouvez ainsi comprendre ce qu'est l'espace vital.
- Vous pouvez ainsi comprendre que l'Amour inconditionnel commence par vous mêmes.
- Vous pouvez ainsi comprendre que le respect d'autrui commence par votre respect de vous.
- Vous pouvez ainsi comprendre que personne ne doit avoir le droit de prendre ce qui est vôtre.

Si vous comprenez cela, vous comprenez aussi que **personne**, sur Terre ou ailleurs, **ne peut vous imposer sa volonté**. Que **personne n'est plus puissant que vous** et **que vous n'êtes pas plus puissant que qui que ce soit**. Que tout le reste n'est qu'illusion et ces illusions sont créées de toutes pièces afin de vous amener à comprendre qui vous êtes.

Lorsque vous aurez compris ces choses et suffisamment appliqué ces principes dans votre Vie, vous serez le maître incontesté de votre vie et, pour certains, vous deviendrez un maître à leurs yeux éblouis devant tant de talents. Ce sera alors à votre tour de ne pas abuser des autres et d'apprendre à les respecter comme vous devez être respecté vous-mêmes. Vous comprendrez alors que les Êtres qui sont venus sur la Terre, il y a très longtemps, avaient à apprendre à respecter les autres et que plusieurs ont échoué dans cette mission. **Voilà pourquoi les Hommes de la Terre souffrent : C'est pour apprendre, par l'expérience, qui ils sont et apprendre à se respecter eux-mêmes**. Car c'est le seul vrai moyen d'arriver à respecter les autres. Alors nous pourrons tous reprendre nos places dans le Grand Univers et continuer notre voyage vers le Centre de celui-ci avec encore plus de connaissances, avec encore plus d'Amour en nous, avec nous et autour de nous. Nous serons alors redevenus des Êtres de Lumière qui sont spécialisés dans un nouveau domaine de connaissance, soit **le respect inconditionnel du libre arbitre**.

Chapitre 18

Le péché

⊡ ⊡ ⊡

Salutations, je suis Shannaton

J'aimerais vous parler de ce que vous appelez le péché. C'est un sujet assez délicat, mais aussi très intéressant que nous allons traiter et c'est un plaisir de le faire avec vous. Je suis Shannaton, un messager de la Lumière et je considère que mon travail est aussi une joie, un bonheur et un honneur. Sachez que nous vous considérons beaucoup dans notre monde, si on peut s'exprimer ainsi. Nous sommes toujours hautement intéressés à participer à tout plan d'action qui concerne les humains, en particulier ceux de cette si belle planète, la Terre. Vous êtes, pour nous, des Soleils en devenir, des Soleils futurs que nous respectons déjà, car, beaucoup d'entre vous sont déjà des Êtres de Lumière. Rappelez-vous que pour nous, le temps n'existe pas, que votre avenir est aussi notre présent et vous comprendrez mieux pourquoi nous vous aimons tant. Avant de retourner à notre sujet, je voudrais ajouter un seul mot pour ceux qui ont compris ce que je viens de dire. OUI ! Je parlais bien de la PROJECTION. Je vous laisse méditer là-dessus, préférant ne pas en dire plus pour le moment.

Selon moi, la définition du péché pourrait être : Émotion émanant d'une action, d'une pensée, ayant engendré une réaction négative chez l'individu. Émotion qui a laissé une blessure dans son Âme ou Esprit.

Un sentiment de péché serait plus approprié qu'un péché lui-même, puisqu'il est possible pour deux personnes similaires de commettre le même acte et qu'une seule de ces personnes se sente coupable d'avoir péché. Il est évident que c'est la personne qui a péché qui décide d'elle-même si elle a péché ou non. Cela nous amène à observer que le péché est une **notion humaine**. Cette notion se transmet de génération en génération et elle a tendance à disparaître dans l'avenir, avec l'évolution de la race humaine. Oui ! Je veux dire que le péché est temporaire et qu'il n'existera plus pour vos descendants futurs.

Pourquoi ?

Merveilleuse question ! Mais parce que... Non prenez plutôt cet exemple :

Au 14e siècle, il était reconnu dans le monde évolué que la Terre était plate. Plate et non ronde, rappelez-vous ! Donc, si vous étiez projeté à cette époque et que vous leur annonciez que la Terre est ronde, vous seriez, pour eux, un envoyé du Diable venu pour pervertir l'esprit des Hommes et on vous aurait probablement brûlé pour ce **PÉCHÉ**. Aujourd'hui, il nous est facile de comprendre qu'à cette époque, ils ne savaient pas ces choses, qui sont pour nous évidentes, et que dans ce temps-là, ils se protégeaient de ceux qui en savaient trop en les brûlant.

Vous voyez comment évolue la notion de ce qui est péché et non le péché lui-même, et c'est pour cela qu'il va forcément disparaître dans l'avenir. Comprenez bien ceci :

LE PÉCHÉ N'ÉVOLUE PAS

C'est plutôt une notion, un sentiment, une émotion que vous appelez un péché et ça, ça évolue, pas le péché lui-même. Comme l'Homme évolue constamment, ce qu'il appelait un péché dans une époque devient drôle dans une autre, c'est tout ! Mais alors pourquoi y a-t-il le karma des vies antérieures, si le péché n'existe pas ?

Parce que c'est vous qui l'avez voulu !

Je m'explique : Après votre mort physique, vous êtes amenés à vivre certaines expériences et à suivre une certaine formation dont le but est de vous ramener à l'incarnation pour réussir à vous libérer de ce besoin. Oui ! Car l'incarnation est un besoin tout comme la nourriture, pour celui qui n'a pas encore compris ce que c'est en réalité. C'est-à-dire ce qui est une incarnation vue par un Esprit, ou plutôt, par une Énergie Divine Créatrice. N'oubliez pas que vous êtes tous et toutes des Énergies Divines Créatrices projetées dans la chair. C'est cela une incarnation !

Donc, après sa mort, un humain est appelé à revoir sa vie au complet. Pour cela on l'amène dans une sorte de salle de cinéma, appelée **SPHÈRE AKASHIQUE**, où on lui projette le film de sa vie, si vous acceptez l'expression. Pendant qu'il observe sa vie se dérouler, l'Être morontiel, ou non incarné, vit toute une série d'émotions. Certaines sont heureuses, d'autres pénibles et c'est cela qui provoquera ou non un autre karma. Je veux dire que si l'Être morontiel est capable d'accepter sa vie et de comprendre à quoi elle lui a servi, il n'aura pas à revenir dans une autre vie. Il se sentira plus léger et plus grand, il sera tout à coup plus lumineux, parce qu'il aura assimilé les informations apprises comme étant une formation. Il recevra une sorte de diplôme en augmentant ses propres vibrations corporelles et c'est cette augmentation de vibrations qui le rendront plus léger, plus grand et plus lumineux. Par contre, s'il ne peut pas encore accepter ce qu'il a vécu comme un apprentissage, mais plutôt comme des épreuves, des souffrances, des situations écrasantes ou révoltantes, il ne pourra pas s'empêcher de vouloir revenir dans un corps afin de se libérer de ces nouvelles attaches qu'il est en train de créer. Ça, c'est le karma !

Le karma se confirme là, à cet endroit, à la projection de votre vie. Un Être morontiel peut regarder plusieurs fois sa vie ou une vie antérieure, s'il le désire. Comprenez que pour ce faire, vous serez toujours seul avec vous-même et que ce n'est que **vous** qui **vous jugerez** ou **ne vous jugerez pas. Dieu ne vous juge jamais**, qui que vous soyez. Après cette épreuve, certains d'entre vous auront à revenir dans la chair pour revivre des situations leur permettant de se débarrasser de vieilles émotions non admises ou acceptées de leur part, pendant qu'ils regardaient le film de leur vie.

Vous pouvez constater que rien dans tout cela n'était un péché mais plutôt une réaction de l'Être pendant la représentation de certaines étapes de sa vie. C'est-à-dire que vous décidez vous-mêmes si telle ou telle action que vous avez faite est un péché, ou non. À chaque fois que vous commettez un acte quelconque un peu en dehors de vos normes, vous avez à décider si c'est un péché et cette notion de péché est, en fait, un frein pour ralentir votre évolution. Je dis un frein car le péché n'est pas une invention de l'Homme. On vous a appris que telle chose ou tel acte est un péché, car rien n'est vraiment un péché pour celui qui accepte ce qu'il fait. Là, arrive la notion de l'Amour qui vient sauver la situation, car si on agit avec Amour, peu importe les conséquences, il n'y a pas de péché. Attention de ne pas confondre. Je ne dis pas qu'un crime passionnel est une bonne chose, car ici, il faut reconnaître la jalousie et la possessivité et cela n'est pas de l'Amour. Soyons sincères, honnêtes et intelligents.

Si vous respectez votre personne, si vous arrivez à aimer qui vous êtes. Vous aimerez autrui automatiquement et serez Amour. Si vous devenez Amour, le mot péché vous fera sourire avec raison et vous en serez libéré pour toujours.

Shannaton

Chapitre 19

Le rejet

⊕ ⊕ ⊕

Salutations, je suis Shannaton

Je veux maintenant vous parler du rejet. Tout d'abord, essayons d'expliquer ce dont je parle en utilisant le mot rejet :

L'Homme incarné est, en réalité, une Énergie Divine Créatrice projetée dans la matière animale afin de se personnaliser. Pour cela, l'Énergie Divine Créatrice a dû accepter de perdre une importante partie d'elle-même car, l'incarnation sur ce plan n'aurait pas été possible autrement. Elle a donc choisi librement de REJETER une partie d'elle-même en s'en séparant. Une fois la séparation effectuée, la partie a donné la vie à un nouvel Être qui, lui, avait oublié qui il est réellement. C'est-à-dire que cette partie, pour s'incarner, a dû rejeter sa propre Divinité et accepter qu'elle est un tout, ou un être entier. Appelez le un Homme ou autrement, le principe est le même. Le rejet est donc le fait de ne plus reconnaître notre TOUT ou notre DIVINITÉ.

Pourquoi ?

Hé oui ! Pourquoi faire une telle chose ?

Pour l'expérience voyons !

Imaginez que vous êtes une Créature Divine immortelle et que vous le savez depuis toujours, c'est bien ! Mais, voici qu'on vous parle d'une aventure qui se joue dans une dimension à trois plans, sur un monde où les Êtres ne savent même pas qu'ils sont Divins. Sur un monde où tous les habitants sont des amnésiques livrés à eux-mêmes afin de tester une nouvelle voie d'évolution. Dieu soit béni, vous voulez essayer ça et vous le pouvez. Merci, oh ! Dieu tout-puissant de si bien savoir comment nous faire grandir dans des expériences toujours plus fascinantes les unes que les autres.

Aussitôt pensé, aussitôt fait, vous voilà arrivé près de cette merveilleuse petite planète. À première vue, tout est normal, sinon que l'accès n'y est pas libre. Évidemment, vous dites-vous, tous ont voulu essayer d'y vivre et je les comprends. Alors vous attendez votre tour, puis arrive ce tour, c'est à vous. Suivant la procédure, vous êtes amené à la naissance d'un corps humain sur cette planète. En prenant conscience à l'intérieur du ventre de votre mère, vous réalisez soudain ce qu'est la noirceur. Vous avez peur, vous vous sentez coincé et voulez en sortir et c'est là qu'intervient un guide d'incarnation. Il vous explique ce que vous venez de ressentir. Il vous explique que c'est la prise de la chair sur votre Esprit qui donne cet effet et que c'est normal et à ce moment, ainsi sécurisé, vous l'écoutez et souhaitez continuer l'expérience. Alors, il vous demande de rejeter votre Divinité, il vous demande de vous laisser tomber dans ce nouveau monde et d'oublier qui vous êtes. Docilement, vous l'écoutez encore et c'est ainsi qu'un petit bébé humain verra bientôt le jour sur la Terre.

Comme nous sommes situés dans un espace de liberté ou de libre arbitre, les possibilités d'incarnations sont illimitées. N'importe quel Être peut demander à s'incarner sur cette Terre et c'est ce qui se passe. La Terre est une planète expérimentale, donc un endroit où les Créatures Divines viennent pour essayer des trucs qui ne se font pas ailleurs, enfin, pour le moment. Je dis pour le moment parce que tout risque de changer dans quelques années. Oui ! Changer, parce que le temps est venu où la Terre a suffisamment expérimenté, elle aussi. Sachez qu'une planète vit tout comme vous. Sachez qu'elle a sa propre personnalité et qu'elle se développe en vivant des expériences, tout comme vous.

Voilà pourquoi tout va changer, puisque toute expérience a ses limites. La Terre et le Gouvernement Céleste de l'Univers ont conclu que le temps est venu, car la planète arrive à la fin d'un tour d'une orbite céleste. Oui ! Comme la Terre tourne autour du Soleil, votre système tourne autour d'un autre système et c'est de ce tour complet dont je parle. L'évolution de l'expérience était prévue pour aller jusque-là et pas plus loin. Croyez bien que c'est ce qui va se passer. C'est ici que je reviens au REJET.

Actuellement sur Terre, vous, humains ne reconnaissez pas votre Divinité, nous l'avons déjà expliqué. Mais comment arriver à se reconnecter à nouveau avec celle-ci ?

En commençant par cesser de rejeter tout ce que vous rejetez actuellement. C'est-à-dire :

- En cessant de vous écraser devant telle ou telle personne

- En cessant de ne pas reconnaître ce qui vous déplaît

- En cessant d'affirmer ce que vous affirmez parce qu'on vous l'a appris et ce, sans que vous le pensiez vraiment

- En cessant d'accorder automatiquement à d'autres des pouvoirs ou des droits que vous vous enlevez

- En cessant de vous amoindrir à tout moment

- En reconnaissant que vous êtes tous égaux devant Dieu, donc vraiment égaux et en affirmant votre individualité sur cette planète.

Voilà en partie comment faire, parce qu'ici, on vous vole votre droit à l'égalité, on vous vole aussi votre Divinité. L'heure est venue de reconnaître qui vous êtes et de l'affirmer à tous. Je ne dis pas de crier sur les toits que vous êtes Dieu, mais bien d'apprendre par des milliers de petits gestes quotidiens à vous respecter d'abord vous-mêmes. Par la suite il vous sera facile de respecter les autres, ne dit-on pas :

«Charité bien ordonnée commence par soi-même.»

Peuple de la Terre, vous avez suffisamment souffert pour savoir, vous avez assez vécu d'expériences pour apprendre que seul l'Amour peut tout changer sur ce monde en folie. Que seul l'Amour peut arriver à sauver ce monde et que l'Amour ne peut être ailleurs qu'en dedans de soi. Comment porter l'Amour si on ne se respecte pas, si tous nous rabaissent tout le temps. L'époque des martyrs a prouvé que cela ne changeait rien d'être un martyr, rien sinon que l'on meurt. Cessez de croire que vous êtes un martyr et si quelqu'un vous pile sur les pieds, enlevez-le de là. Faites respecter votre espace vital, non pas dans la violence, mais si possible dans la paix. L'important, c'est que vous arriviez à vous Aimer vraiment, dans tout ce que vous vivez, dans tout ce que vous faites. Aimez-vous ! En vous voyant changer et commencer à vous respecter vous-mêmes, les gens commenceront à en faire autant et cela est une mission pour beaucoup d'entre vous. Beaucoup d'humains sont venus vivre ici pour apprendre à se respecter et c'est pour cela qu'il était si important de se personnaliser pour ensuite s'individualiser. Seul un individu qui sait qui il est, peut, en paix si possible, défendre son espace vital. Vous êtes des Créatures Divines qui sont venues apprendre à se respecter, à ne pas se laisser corrompre pour quoi que ce soit. À ne pas se laisser tasser dans un coin par une autre Créature qui n'a pas encore appris le respect. Parce que vous êtes les prochains Créateurs de mondes d'un Univers en expansion, vous aviez besoin de savoir ces choses. Vous deviez avoir acquis cette expérience, puisque vous êtes tous des Dieux Créateurs du futur.

Aimez-vous et respectez-vous toujours et encore plus, voilà mon vœu.

Shannaton

Chapitre 20

Questions et réponses

⊡ ⊡ ⊡

Salutations, je suis Shannaton

- Que penser de la liberté ?

Ce sujet m'est très cher, car il est un bien précieux de tout Être qui sait se respecter, puisque la liberté est donnée à tous à la naissance ou à la conception, si vous préférez. Lorsque la Source engendre une nouvelle Créature Divine que je nomme souvent Énergie Divine Créatrice, elle la fait libre de tout, car à tous les niveaux, Dieu crée à son image et Dieu, ou peu importe le nom qu'on lui donne, est LIBRE.

Revenons à l'Homme de la Terre, l'humain. L'humain vient au monde **totalement libre** et cette liberté lui est retirée graduellement pendant que son corps grandit, pendant qu'il vieillit, comme vous dites. Sur quoi puis-je me baser pour dire cela ? Voyez :

L'humain vient au monde sans rien d'autre que sa propre vie. Il ne possède et ne dispose de rien, absolument rien, sinon un ou des parents qui s'occupent de lui 24 heures sur 24. Vous savez que la confiance d'un enfant est sans borne. Vous savez que s'il se lance dans le vide, il ne pense pas se blesser pour autant, il vous faut alors l'attraper ou l'empêcher de tomber, tout simplement. Lui, il ne se soucie pas de ces détails qui peuvent pourtant lui coûter la vie, sa vie. Pourquoi est-ce comme ça ?

Mais, parce qu'il est totalement libre. Il n'a pas encore pris conscience de sa propre vie matérielle, du danger de la gravité, des dangers courants, en fait de rien du tout. Lui, il ne pense qu'à lui, à être heureux, à manger, à dormir et à jouer. Il a l'innocence d'un enfant et c'est normal. Par contre, dans son corps de chair, cette innocence ne peut durer qu'un temps. Le temps qu'il grandisse et qu'il comprenne certaines choses, comme de ne pas se jeter du haut d'un escalier, par exemple. Qui n'a pas mis un obstacle pour limiter l'accès d'un escalier à ses enfants, afin de leur éviter un accident ?

Plus tard, il lui faudra apprendre que la vie en société nécessite des compromis continuels et qu'il ne peut pas ne penser qu'à lui. Il devra s'oublier toujours un peu plus, comme ses parents se sont oubliés pour veiller sur lui. Humains, comprenez qu'un être dans la matière ne peut pas être complètement libre comme il le serait s'il vivait sous sa forme d'Énergie Divine Créatrice. Comprenez aussi que ce n'est pas une corvée pour nous que d'être moins libre (incarné), car c'est de cette façon qu'on peut apprendre l'Amour, le don de soi. Je ne dis pas d'être un martyr pour gagner quoi que ce soit, cette époque est dépassée et maintenant inutile, je dis simplement qu'il est normal de faire des compromis pour le bien de la communauté ou de la société. Par exemple, certains d'entre vous ne payent-ils pas des taxes scolaires même s'ils n'ont pas d'enfants ? C'est ça un compromis social. Par contre, cela vous prive d'une partie de vos revenus. Si vous voulez éviter de payer ce genre de choses, vous n'avez qu'à déménager dans un endroit où ça n'existe pas.

Vous voyez ? Vous êtes encore libre, libre de partir. D'ailleurs, tout Être incarné sait, quelque part en lui, qu'il est libre de partir, de quitter ce corps et cette vie. N'oubliez pas que nous savons qu'une vie incarnée est une histoire dans le livre de notre vie. C'est si plaisant de penser ou plutôt de voir les choses de cet angle. Ainsi, tous les problèmes sont plus petits et nous sommes toujours gagnants, c'est un peu ça être Divin !

- Avez-vous une autre façon d'expliquer l'Énergie Divine en nous ?

Bien sûr ! Imaginez que l'Homme est en fait un véhicule qui abrite un conducteur. Vous devinez que le conducteur est beaucoup plus petit que le véhicule et vous avez raison. Maintenant, à partir de ce principe, comprenez que lorsqu'une Énergie Divine obtient le droit à la vie ou l'incarnation, elle envoie un petit peu d'elle vivre avec les nouveaux parents.

Pendant la conception, cette minuscule parcelle d'Énergie Divine pénètre dans un spermatozoïde et c'est ce dernier qui féconde l'ovule. Ensuite, ces deux corps fusionnent en une seule cellule qui commence à se diviser en 2, 4, 8, etc., jusqu'à devenir plusieurs milliards de cellules toutes issues d'une seule et qui portent en elles **UNE** parcelle d'Énergie Divine. C'est cette parcelle d'Énergie que vous appelez votre Âme ou votre Esprit. Comprenez que sa taille est si petite qu'elle a pu être contenu dans un spermatozoïde et que sa puissance est infinie car Elle est Divine, Dieu. Par contre, il est évident que quelque part dans l'Univers, demeure le restant de l'Énergie Divine Créatrice qui est votre Père qui est au Cieux, votre Divinité. Le but de tout Être est de faire son ou ses cycles de vies afin de rapporter à sa Divinité le fruit de son apprentissage sur le plan de cette série de Vies. Dieu étant la Source de toute Vie, vous comprendrez qu'il ne peut avoir de forme particulière, donc aucun corps possible. C'est pourquoi il a créé des Êtres appelés Énergies Divines afin qu'ils se spécialisent dans différents types d'expérimentation, ou encore, afin qu'**ils vivent** !

Comme tout ce que la Source crée est exponentiel, ces Créatures Divines ont à leur tour créé des Êtres qui vivent aussi des expériences et, en revenant à Elles, leur font partager le fruit de ces expériences. C'est pourquoi vous, humains, êtes la projection de Créatures Divines qui sont quelque part dans l'Univers et un jour, vous les retrouverez fièrement avec toutes vos «**Histoires de Vies**» à raconter. Parce que, en réalité, quand une Créature évoluante monte à sa Source, il se passe une fusion des deux. Imaginez, la petite devient un avec la grande, en totale et parfaite union.

- Parlez-nous de l'Amour

L'Amour est, contrairement à ce que vous pensez, une Énergie. En fait l'Amour est l'Énergie qui compose Dieu, ou la Source. Essayez de croire que Dieu est fabriqué d'une matière, ou d'une Énergie, **qui est l'Amour** ! C'est réel !

Voici comment on peut expliquer cela :

Dieu est Amour, en fait, il est la Source de tout l'Amour de l'Univers, et il s'est littéralement fait exploser pour pouvoir se partager avec ses enfants qui ne sont autres que des parcelles de lui-même. C'est pour cette raison que ses enfants sont des Énergies Divines. Entre autres, comme Dieu n'a pas de forme, ses enfants n'en ont pas non plus, et voilà que commence une grande aventure. Voilà que les enfants veulent comprendre le Père. C'est normal, Dieu est exponentiel. Il grandira donc dès maintenant à partir de ses enfants. Chacune des ces Énergies grandira en toute liberté, à son propre rythme et dans le sens qu'elle voudra, mais chacune d'Elle deviendra de plus en plus Amour. Comment ?

En se fabriquant des mondes où Elles vivront des expériences, où Elles apprendront à se connaître, car comprendre Dieu, c'est apprendre à connaître Dieu. L'amour n'est accessible qu'à ceux qui le recherche, comme toutes choses d'ailleurs. C'est pour cela qu'Elles auront à vivre sur des multitudes de mondes, c'est aussi pour cela qu'Elles avanceront toujours plus loin à l'intérieur d'Elles-mêmes, puisque c'est là finalement que se situe Dieu. Devenir Amour est la conversion finale de statut d'entité, devenir Amour, c'est devenir Divin et si l'on est Divin, on voit les choses de façon Divine. Ce qui est invisible pour l'un est parfaitement visible pour l'autre, tout est une question de taux vibratoire et le taux vibratoire est une question de rapport dans les molécules qui composent le type de corps que vous utilisez. Pour Dieu, l'Amour est aussi visible que l'est une automobile pour vos yeux.

- Devons-nous obligatoirement évoluer ?

Ce n'est pas vraiment une question, puisqu'en étant incarné ici, en ce moment, vous êtes déjà en train d'évoluer. Par contre, il n'est pas nécessaire d'essayer d'évoluer spirituellement si c'est ce dont vous parlez. À mon sens il n'est pas bon de se forcer, par exemple, à ne plus manger de viande, ou à ne plus consommer d'alcool ou quoi que ce soit que vous aimez. J'ai toujours eu à cœur de faire comprendre à l'Homme de cette époque que tout vient en son temps. L'essentiel est de vous aimer vous-mêmes et ainsi, vous pourrez aisément aimer les autres. Un exemple :

Avant que les habitants de votre Terre connaissent l'électricité, il nous était difficile de parler d'Énergie. Alors, on employait des mots qui remplaçaient le mot Énergie, on disait des Anges ou des Elfes. Maintenant que vous savez qu'en appuyant sur un bouton, une lumière s'allume à cause de l'énergie électrique, il vous est possible de comprendre plus de choses. Ce sont ces changements qui font qu'une nouvelle ère arrive. Sachez que vous irez beaucoup plus loin dans vos connaissances. Par exemple, sur certains mondes, il n'y a plus de boutons pour allumer les lampes et il n'y a plus de lampes non plus. Les maisons sont fabriquées de matériaux tellement évolués que la lumière vient toute seule de partout à la fois, lorsqu'elle est nécessaire. C'est la maison qui a évolué pour arriver à fournir un plus grand confort. Sachez que tout évolue et que chaque atome qui existe est capable de grandes et merveilleuses transformations.

Bientôt, vous entendrez de plus en plus parler de vaisseaux spatiaux. Hé bien! Un grand nombre d'entre eux sont des Créatures vivantes qui évoluent et leur but est de déplacer des êtres dans le grand Univers. Croyez-vous que ce n'est pas la meilleure forme de véhicule pour explorer l'Univers ?

- <u>Voulez-vous nous laisser un message ?</u>

Merci ! En terminant avec vous, j'aimerais vous dire de ne pas lâcher. Continuez à chercher, vivez intensément chaque belle minute de votre Vie et sachez que vous allez arriver à vos fins. N'ayez pas peur de manquer votre coup, comme vous dites. La Source est en vous, avec vous et Elle vit par vous, ne l'oubliez plus jamais. Vous êtes la Lumière de demain, vous êtes l'avenir, vous êtes l'Amour de demain et nous avons confiance en vous. De partout dans l'Univers des Énergies Divines vous observent et vous aiment. Soyez tous bénis !

Faites que toutes les Créatures de bonne volonté de cette Terre expriment leur Amour, un peu plus chaque jour et demandez, demandez ensemble en vous regroupant, que le temps vienne où la Terre vivra en paix et dans l'Amour.

Je vous aime de tout mon Être,

Shannaton

◘ ◘ ◘

MÉDITATION

L'ARBRE

Salutations, je suis Shannaton

Je voudrais, par cette méditation, vous apprendre à vous «connecter à la Terre», ou à vous «grounder», comme vous dites. Pendant la méditation, je vous tutoierai, ce sera plus facile.

- D'abord, allonge-toi confortablement sur ton lit, pour t'offrir une période de tranquillité pouvant aller jusqu'à trente minutes, avec l'assurance de ne pas être dérangé.

- Ensuite inspire profondément par le nez, en prenant soin de pousser l'air très loin dans ton bas-ventre.

- Retiens-le juste un peu et souffle-le puissamment par la bouche en poussant hors de ton corps tout stress accumulé.

- Puis, recommence deux autres fois cet exercice et ensuite, respire normalement, c'est-à-dire sans penser à ta respiration.

- Ouvre les chakras situés sous la plante de tes pieds et imagine qu'une tige sort de chacun de tes pieds en s'enfonçant dans le sol. Imagine ces deux tiges qui traversent les fondations de ta demeure et qui s'enfoncent jusqu'à dix mètres dans la Terre. Ensuite visualise les deux tiges se séparer chacune en un milliard de petites racines qui s'étendent encore plus sous la surface de la Terre.

- Maintenant, prends conscience d'être aussi enraciné qu'un arbre, un arbre immense que rien ne peut faire tomber.

- Imagine être devenu cet arbre et concentre-toi sur la sève qui commence à monter dans tes racines.

- Essaie de sentir la sève monter dans ton corps et imagine des branches qui poussent tout autour de toi.

- Prends conscience d'être devenu un arbre magnifique.

- Prends conscience que rien ne peut t'arriver et que la Terre est en train de te nourrir.

- Prends plaisir à te faire nourrir par la Terre et comprends que ton corps fait maintenant un, avec la planète.

- Sache que rien ne peut t'atteindre car toute la vie se déroule maintenant autour de toi, l'arbre immobile.

- Regarde comme les événements défilent tout autour de toi, sans que rien ne t'affecte. Tu es totalement impassible puisque tu es un arbre.

- Prends conscience que tu fais ta part du travail en récoltant la sève dans la Terre et en l'apportant haut dans le ciel par tes branches.

- Sache que tu n'as rien d'autre à faire que d'être ici, c'est tout, et sois-en heureux. Vois la vie autour de toi, ne sois plus fatigué mais seulement heureux. Ton corps est maintenant nettoyé par la circulation de la sève, tu es bien et tu es conscient d'être toi.

- Coupe tes racines et garde en toi toute cette nouvelle énergie d'Amour que la Terre t'a donnée.

Éveillez-vous lentement et étirez-vous bien. Maintenant vous pouvez retourner à votre quotidien, plus rien ne sera jamais pareil.

Shannaton

◈ ◈ ◈

MÉDITATION

LA RÉGÉNÉRATION

Salutations, je suis Shannaton

Nous allons maintenant faire une autre sorte de méditation afin de régénérer vos corps, c'est-à-dire vos corps physique, astral et mental. Cette méditation est très simple et elle peut se pratiquer assis confortablement, les deux pieds à plat au sol, ou encore, en position couchée.

- Inspire profondément par le nez, en prenant soin de pousser l'air très loin dans ton bas-ventre.

- Retiens-le juste un peu et souffle-le puissamment par la bouche en poussant hors de ton corps tout stress accumulé.

- Puis, recommence deux autre fois cet exercice et ensuite respire normalement, c'est-à-dire sans penser à ta respiration.

- Visualise ta jambe droite et imagine qu'une tige pousse à l'intérieur d'elle, en plein centre, à partir du genou.

- Ouvre le chakras de ton pied droit et laisse sortir l'extrémité de la tige qui commence à s'enfoncer dans le plancher.

- Visualise cette tige qui pénètre dans la Terre et qui s'enfonce de plus en plus profondément.

- Vois comme la tige pousse facilement dans la Terre et sens la, de plus en plus longue et solide.

- Enfin voici la tige qui a traversé le sol jusqu'à arriver dans la couche de lave qui parcourt la planète.

- Prends conscience que la lave circule partout dans la Terre et qu'elle est rouge.

- Prends conscience que ton sang circule partout dans ton corps et qu'il est rouge. La lave est donc à la planète, ce que ton sang est à ton corps.

- Enfonce la tige profondément dans la lave. Elle se sépare en un milliard de petites racines.

- Maintenant, voilà le côté droit de ton corps qui est connecté à la Terre. Laisse aller par ta jambe toutes les énergies inutiles, fatiguées et affaiblies qui se trouvent dans le côté droit de ton corps.

- Visualise des petites taches de couleurs qui descendent par la tige, elles arrivent dans les racines et vont se dissoudre dans la lave.

- Donne à la Terre, ta mère, toutes tes fatigues et tes angoisses, elle est si grande et elle t'aime tant.

- Puis, observe la lave rouge, douce et chaude qui remonte par la tige. Elle pénètre dans ton pied droit, ton mollet, ta jambe, ta hanche et traverse tout ton dos. La voilà qui monte ton cou et inonde tout le côté droit de ton cerveau.

- Maintenant, visualise une autre tige dans ta jambe gauche.

- Ouvre le chakras de ton pied gauche et laisse s'enfoncer la tige jusqu'à la lave.

- Imagine la tige qui s'enfonce dans la Terre et arrive à côté de l'autre. À son tour, elle se sépare en un milliard de petites racines, qui plongent profondément dans la lave rouge.

- Laisse descendre de ton corps toutes énergies usées, fatiguées ou inutiles qui se trouvent dans ton côté gauche.

- Visualise qu'elles sortent de tes racines et qu'elles se dissolvent dans la lave, puis la lave remonte la tige et pénètre dans ton pied gauche, ton mollet, ta jambe et ta hanche.

- Laisse-la traverser ton dos et emplir le côté gauche de ton cerveau.

- Te voici bien connecté avec le centre de la Terre, ta mère.

- Prends conscience que tout ton corps vient d'elle, qu'elle le nourrit, qu'elle lui offre un toit et des vêtements.

- Prends conscience de cette sécurité que tu es en train de vivre, de cet échange d'Amour entre vous deux.

- Laisse circuler la lave entre tes deux cerveaux et remarque qu'elle retourne à la Terre par le côté gauche de ton corps.

- Voici qu'elle monte par ton côté droit, elle tourne dans ta tête et redescend par ton pied gauche.

- Prends conscience que tu es connecté à la planète et qu'elle circule à l'intérieur de toi. Tu fais partie d'elle et elle fait partie de toi.

- Laisse-toi aller pendant quelques minutes à cette merveilleuse sensation...

- Coupe tes racines et garde cette nouvelle énergie dans ton corps. Te voici maintenant totalement régénéré et en harmonie avec la planète.

Prenez conscience que vous êtes un morceau de la Terre et qu'elle a toujours été consciente de votre existence, puisqu'elle vous aime.

Shannaton

Table des matières

Qui est Yvon Mercier, l'auteur de ces livres ?

Homme d'affaires, propriétaire d'un commerce d'informatique, Yvon Mercier vit jusqu'en 1994 une vie normale. Puis, tout à coup, c'est le vide. Gagner de l'argent ne le satisfait plus. Du plus profond de son être il ressent le besoin de changer sa vie.

Son frère l'emmène chez une médium qui lui révèle que ce à quoi il n'a jamais voulu croire peut exister. Il sera ébranlé dans ses croyances et commencera à mettre en doute tout ce qu'il a appris. Ce processus l'amène à découvrir qui il est vraiment.

Il décide alors de vivre pour l'éveil de sa conscience. Publiquement, il vivra dorénavant sa métamorphose afin que tous puissent voir un humain ordinaire devenir un être conscient.

D'*autres livres chez* INCALIA

De la Source à l'Humain
Des Histoires de Vies
Yvon Mercier

Est-il possible qu'avant notre vie humaine, nous ayons déjà vécu dans des endroits et sous des formes que notre cerveau humain a de la difficulté à imaginer ? L'auteur nous livre un vibrant témoignage de l'évolution d'un être, de la création de la vie dans un lointain passé jusqu'à l'humain d'aujourd'hui ; il nous fait partager le cadeau que lui ont fait ses Guides.

Si vous n'avez pas peur des idées nouvelles qui bousculent et font avancer rapidement, ce livre est pour vous. Il contient, en outre, La prière de la fusion, qui nous permet d'entrer dans cette nouvelle énergie, dont bénéficie actuellement notre planète, et nous propulse dans ce monde fascinant qui nous attend.
Ce livre est l'édition revue et augmentée de Histoires de Vies
ISBN : 2-922167-02-X

L'Éveil du Dormeur
Yvon Mercier

Chaque personne qui vit sur cette planète est un être spirituel, immortel et divin, qui habite temporairement un corps humain mortel, intelligent et animal, qui lui sert de véhicule pour expérimenter. Qui est cet Esprit qui forme cette trinité avec le corps et l'âme ? Comment puis-je arriver à comprendre et à fusionner ces trois parties de mon être ?

Prendre conscience de qui je suis, du monde où je vis, de ma mission et du monde vers où je me dirige, c'est ça L'Éveil du Dormeur. Nous sommes à cette époque de l'évolution de notre planète où chaque être humain doit vivre cette étape essentielle de sa vie.

La lecture de ce livre est un pas dans notre évolution.
C'est un livre qui nous ouvre le chemin de l'infini.
ISBN : 2-922167-05-4

Dialogue avec mon Supérieur Immédiat

Jean Casault

Après 30 ans de recherches et d'études sur les visiteurs extraterrestres, Jean Casault, auteur, conférencier et animateur de radio, oriente sa vie dans la direction qui lui permet de comprendre qui il est. Son livre nous ouvre cette voie.

L'auteur nous présente son livre :

Personnellement, j'ai toujours su que, malgré les limites de mon corps physique, j'avais accès à «autre chose». Les années ont passé, me permettant de composer avec la vie et ce trou permanent, ce vide étrange entre le sternum et le nombril. J'ai cherché, cherché et cherché comme un fou, sans jamais trouver de réponse. Nourri d'illusions et de mensonges, j'ai finalement compris, après 47 ans, qu'au delà de ma réalité quotidienne existait un Supérieur Immédiat. Comme au bureau, je lui ai parlé, il m'a répondu. À la demande d'un grand ami à moi, qui depuis fort longtemps bavarde et n'en finit plus de bavarder avec le sien, je vous offre ce Dialogue avec mon Supérieur Immédiat.

Comment est-ce possible, pour notre mental, de débloquer la communication avec l'Esprit? Ce livre est la réponse.

ISBN : 2-922167-04-6

L'Esprit de Thomas (Roman)
Jean Casault

L'Esprit de Thomas se révèle une œuvre forte qui développe sans fausse pudeur un ensemble de concepts spirituels des plus audacieux. Le lecteur y découvre Thomas, presque à la naissance, et suit son évolution jusqu'à l'âge adulte. Il nous fait vivre ses amours, ses craintes, ses joies et traverser avec lui de multiples expériences.

Mais la grande force de ce roman réside dans la découverte par le lecteur de l'Esprit de Thomas, bien avant la naissance de ce dernier. Il explore ses vies antérieures et plonge au cœur des interventions les plus fabuleuses. Tout un univers invisible s'offre à nos yeux, et personne ne peut demeurer impassible. Simultanément le sort des humains va bientôt se jouer selon la Volonté de l'Unique et Thomas, son Esprit, ainsi qu'une myriade d'Entités spirituelles vivront les heures les plus extraordinaires de toute l'histoire de cette planète.

« Je suis Arthon, l'Esprit de Thomas, Djar d'Onève et des Terres du Couchant de cette planète. »

Quand vous parcourrez ces lignes, une Ère nouvelle s'annoncera.

Un grand roman émaillé de réflexions précieuses et riche d'enseignements.

Publication à venir

Terra, une immersion dans l'avenir de l'humanité (Roman)
Yvon Mercier

Nous sommes tous d'accord pour dire que notre monde doit et va changer. Certains parmi nous acceptent aussi l'idée que nous sommes des êtres hautement évolués venus vivre ici pour changer la planète.

Dans ce roman, Yvon Mercier cherche à répondre à ses questions en appliquant un scénario que lui ont montré ses guides comme une des possibilités d'avenir de l'humanité. Car c'est cette humanité qui doit, par elle-même, redevenir parfaite et pure. Comment des êtres d'aujourd'hui peuvent-ils redevenir des êtres de Lumière ? Cette histoire peut être une des réponses.

Envoi postal

Pour communiquer avec nos auteurs :

Les Éditions Incalia
4750, Boul. Hamel Bureau 105
Québec (Québec)
G1P 2J9 Canada
Tél. et téléc. : (418) 871-3201

ou
visitez notre site Internet :
http://www.incalia.com